J'ai un
Cas-d'EAU
Pour Toi

Es-tu prêt à le recevoir ?

par: Excelex

J'ai un Cas-d'EAU Pour Toi
Es-tu prêt à le recevoir?

Première impression Août 2004
Deuxième impression Juin 2005

Imprimé au Canada

ISBN 0-9683458-3-2

The Living Word™
P.O. Box 401, St-Ambroise-de-Kildare, Québec, Canada, J0K 1C0

Achevé d'imprimer chez
MARC VEILLEUX IMPRIMEUR INC.,
à Boucherville, Québec CANADA
Juin 2005

Disponible Maintenant:

Les 10 Premières Lois Universelles
Géométries Sacrées de Lumière ~ Une série de 10 Yantras

"Ondes de Forme" imprimées Argent et Or

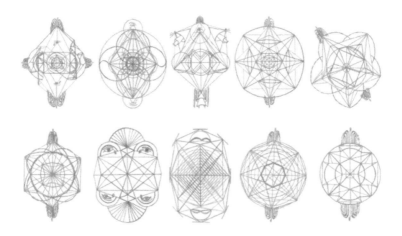

Cette trousse comprend:

10 Cartes Individuelles 8 ½" x 11"
1 Petits Poster 8 ½" x 14"
1 Dépliant avec informations et instructions

Téléchargement en format PDF :

- www.excelexgold.com
- About Yantras
- Ten Primal Universal Laws

Dédicace

Ce livre est dédié à tous les enfants de l'Un sur cette Terre et dans notre Univers Local.

Gratitudes et Remerciements

Toute ma gratitude à la Source de tout ce qui Est pour Son don de Vie en Je et Ses conseils.

Merci à ma partenaire Divine Elexsoir Excelex pour son support depuis notre union le 1er juillet 1992.

Merci à la Mère Nature qui me dévoile ses secrets depuis 15 ans, à la mesure de mon respect.

Merci aux plus de 10,000 Frères et Soeurs avec qui j'ai partagé et reçu depuis 1990 en consultation.

Merci aux Êtres Célestes du Trône Royal de la Source qui m'ont assisté dans mon évolution.

Merci à l'Humanité pour être ce qu'elle est dans sa phase de transmutation.

ଔଔ

Merci à Simone Charron, Claude Aubin, Marcel Roussel et Yolande Paquin pour leur assistance dans les corrections du manuscrit.

Merci à Yoland Renaud pour la première saisie (à la machine) de ce manuscrit.

Avis au lecteur (trice)

Les informations contenues dans ce livre le sont à titre de matériel éducatif seulement. Il n'est pas de notre intention pour ces informations d'être considérées comme substituts à une consultation, ni à un diagnostic ou traitement par un médecin ou un expert en matière de santé.

L'objectif de ce livre est de partager mes propres expériences depuis 1988 et celles de mon épouse depuis 1992, pour notre bien-être et notre régénérescence cellulaire. Nos recettes et/ou formulations vous sont partagées telles que nous les vivons. Nous assumons notre santé par nos aliments et notre mode de vie. Aucune allusion ou consultation médicale n'est fournie sauf les propriétés naturelles des aliments qui sont disponibles dans des ouvrages littéraires de médecins ouverts aux propriétés naturelles des aliments, non altérés génétiquement et non irradiés.

Assumer sa santé c'est une affaire de chaque repas, chaque jour. Puis si votre santé en a pris un coup, il faut vous accorder le temps nécessaire à installer un mode de vie approprié et à vous aimer.

Si vous faites l'expérience de "mal-a-dit" chronique, choisissez-vous un médecin ouvert autant à une médecine traditionnelle qu'à une médecine alternative; bénéficiant ainsi du meilleur des deux mondes puis, écoutez cette petite voix silencieuse de votre coeur et écoutez votre corps.

Pour nous, la maladie n'existe pas, car ces inharmonies cellulaires et/ou physiques indiquent qu'il y a des cellules qui vibrent à de basses fréquences donc, à hausser son taux vibratoire l'harmonie s'installe. L'Amour de soi, de son corps et de sa vie est le plus haut taux vibratoire disponible, car l'Amour crée la vie et la vie c'est l'Amour en action. En chaucun de nous, il y a cette flamme en notre coeur et c'est à chacun d'en prendre conscience et de l'activer afin de vivre en harmonie avec soi, avec l'humanité et toutes les créations sur cette station terre. Ainsi tout est spirituel.

L'être humain n'est pas un être physique qui vit des expériences spirituelles, mais bien un être spirituel qui vit des expériences matérielles/physiques.

Pourquoi aller aux études si ce n'est que pour des expériences d'une science de l'observation. Pourquoi travailler, si ce n'est que pour l'expérience et faire l'échange de ses moments de vie pour des échanges papiers-monnaies illusoires (qui ne sont que des billets à ordre sans substance) pour l'échange de d'autres biens matériels illusoires. Ainsi l'énergie vitale et les moments de vie s'envolent ... Les années passent ... Que vous reste t'il de ces 10 – 20 – 30 – 40 années qui vous ont filé entre les doigts ? Que vous reste-t'il de vos sueurs ? La santé ? Des billets illusoires ?

Seul ce qui est valable, est votre Amour et votre sagesse que vous amènerez avec vous lorsque vous rencontrerez votre Créateur face à face.

Il en est ainsi fait.

E. Excelex

Table des Matières

Page	
10	Préambule par Dr Gary J. Kersey
12	Préambule par Ron Garner, BEd, MSc.
15	Introduction
19	L'eau, c'est la Vie
23	L'eau, sa Vitalité Générale et son Potentiel de Lumière
29	Dessin Chromosome : La Vie en Action
31	La forme qui donne la Vie
41	L'eau, un cristal
45	Dessin d'une Eau Structurée
47	Les différentes organisations de structures, caractéristiques des eaux
55	Les Trois Types d'Eau
61	Particules Adamantines manifestées: Du Lait extrait de l'eau !
71	Ions Négatifs de l'Hydrogène
83	Tableaux comparatifs de différents produits et des eaux
95	Vérifions les différentes sortes d'eau
104	Normes Canadiennes de Potabilité
106	Tableau Comparatif du KDF Filtration
109	Eau Magnétisée avec aimants "man-made"
115	L'impact d'une eau structurée sur les cellules "organiques" organisées
121	Comment une eau bien structurée assiste le bien-être du corps physique
127	Essais avec les animaux et non sur les animaux
129	Une Eau Bien Structurée pour le plein potentiel des plantes
153	Les trois phases de Vie pour les agro-alimentaires
161	La Force de Vie et d'Amour Universel
169	Différentes méthodes pour programmer les eaux, aliments, etc.
175	Ma recette pour un rajeunissement cellulaire, au naturel S.V.P.
179	Exemple de recette de cuisine médicinale
185	Un corps alcalin ! Mythe ou vérité ?
189	Méthode pour rendre un corps alcalin
195	Les triades de la santé
203	Maintenant, c'est votre choix
205	Conclusion
207	La Galerie de Photos Couleurs
221	Témoignages
231	Produits : Hexahédron 999, Aquakaline 777, Sel Joyeux

Préambule par
Dr. Gary J. Kersey

Recevez le Meilleur ... Cette année je vais trouver un moyen pour enseigner à mes patients à propos de l'énergie dans les aliments et l'eau. Je pense que je n'ai pas un seul patient qui le comprend. Tout ce que l'on porte à la bouche a une valeur en Vitalité Générale et en Potentiel Lumineux quantifiable en unité. La Vitalité Générale a besoin d'être très élevée, autrement elle aura peu d'effet sur votre santé ou sur votre bien-être ... ou comme manger du carton ... aussi le Potentiel Lumineux a toujours besoin d'être plus élevé que la Vitalité Générale, autrement elle sera teintée.

La majorité des gens vivent leur vie consommant très peu de la Force Vitale, par conséquent sont en déficit, ce qui accélère le vieillissement et la mort.

Un pensez-y bien ... Les maîtres du Tai-Chi vivent plus longtemps que leurs contemporains ... et les maîtres de Qi-Gong vivent plus longtemps que les maîtres de Tai-Chi, pourquoi? C'est une question d'énergie vitale.

Tout le monde met l'accent sur les vitamines et les minéraux dans la pyramide alimentaire qui est similaire au guide alimentaire fourni par le gouvernement. Cette pyramide guide pour la vie, place les vitamines et les minéraux à la base de la pyramide, vu leur importance; mais si vous consommez des aliments morts et de l'eau morte, vous serez porté à être malade et profiterez d'un vieillissement prématuré.

Les eaux du robinet ont une Vitalité Générale entre 300 et 600 unités ... l'eau que je bois oscille autour de 17,000 unités ... lorsque je la fais passer à travers l'Hexahédron 999. Plusieurs gens ont leurs propres versions de cette technologie dans le public ... mais aucune n'a la puissance et l'efficacité ... et aucune preuve à l'appui. Avec la technologie de l'Hexahédron 999, nous avons plusieurs photos de différents légumes et de germinations à propos des recherches démontrant la supériorité de cette technologie de l'Hexahédron 999.

Dieu est infiniment vivant et Dieu sûrement donne des révélations à certains individus pouvant assister l'humanité, mais il vous faut trouver ces individus à travers l'océan de sous-produits et d'informations de moindre valeur.

S.V.P. prenez comme décision cette année – maintenant ... de voir à augmenter votre Vitalité Générale et votre Potentiel Lumineux (en jargon technique vos Bio-Photons). Lorsque j'aurai 125 ans et donnant mes séminaires aux gens, j'aimerais voir vos figures dans la salle! Commencez par installer un Hexahédron 999 dans votre maison, puis faites l'expérience des autres cadeaux disponibles comme la trousse pour nettoyer les miasmes, le sel énergisant Alcalin (Happy Mood), l'Aquakaline 888, etc.; cela peu changer votre vie. Oh, on peut amener un cheval à un point d'eau. Point nécessaire de le forcer à boire si c'est de l'eau dynamisée avec l'Hexahédron 999!

Dr. Gary J. Kersey
Winter Springs, Florida, U.S.A.

Préambule par

Ron Garner, BEd, MSc.

Auteur, "The 4 Keys to a Long Life"

J'ai d'abord rencontré M. Excelex et son épouse début 2003, alors qu'ils vivaient dans un endroit paisible à la campagne à Célista, Colombie Britanique. Cinq ans auparavant ils furent guidés par la Source à travers le pays à cet endroit spécifique dont ils n'avaient aucune notion au préalable. Leur résidence spacieuse faite à partir de bûches et de mortier, avec un grand jardin, une serre et des arbres fruitiers laissés à l'abandon sur une terre dotée d'un ruisseau dont l'eau provenait des montagnes. Un site idéal pour la solitude et la contemplation et pour le développement de ce que l'on peut nommer produits "Essence de Vie".

J'avais entendu parler des recherches sur l'eau et du nouveau sel par M. Excelex. Alors j'ai décidé de faire le voyage de 3 heures pour vérifier sur place, soucieux de mon propre bien-être ou de ma santé ainsi qui pour mes recherches concernant mon prochain livre.

Je n'étais pas préparé pour ce qui m'attendait! Je faisais face à un site typique près de la nature, mais avec toute une différence. Les produits maraîchers et la végétation dans la serre et le jardin étaient environ trois fois la normale avec un goût exquis. Excelex me fit part que l'eau structurée par son Hexahédron 999 fit toute la différence pour les plantes; cela attisa ma curiosité.

Avec ses cheveux sel et poivre tournant au blond (**voir photos page 220**) comme lors de son enfance, il fut patient à mes questions et avec diligence me fit part de ses recherches à propos de la "Source" et la "Nature de l'Énergie" puis comment il y avait un lien avec l'eau structurée et son appareil Hexahédron 999. Il m'expliqua le concept énergétique de la Vitalité Générale et de Potentiel Lumineux.

Durant l'année qui suivit je fis plusieurs voyages à leur résidence, afin de mieux comprendre et d'écrire à propos de "l'énergie" et de l'eau, mentionné dans mon livre "The 4 Keys to a Long Life" (traduction – "Les 4 Clefs pour une Longue Vie"). Depuis lors, même s'ils sont retournés dans l'est du pays, notre amitié et nos intérêts mutuels dans la recherche favorisant la santé se poursuivent toujours.

Après avoir essayé à travers les années plusieurs unités pour traiter l'eau, incluant distillateur, osmose inversée, ionisateur et eau magnétisée ... j'utilise présentement un Hexahédron 999 simplement parce que je suis convaincu de sa supériorité. Mes recherches sur l'eau provenant de d'autres études viennent corroborer les découvertes de M. Excelex, à savoir que la structure Hexagonale dans une molécule d'eau est le facteur le plus important pour l'énergie qui donne la vie. Je me sens mieux à boire de mon eau municipale passant par le système Hexahédron 999 et mes plantes font deux fois les plantes de mes voisins. La Vitalité Générale améliorée de mes plantes et de mon corps est ma preuve tangible.

Il y a un autre domaine où M. Excelex et moi avons comparé nos notes, qui concerne différents produits salins. C'est un sujet chaud à mon coeur depuis que je suis informé sur l'acidité des cellules du corps, comme étant la source de plusieurs maladies. La consommation quotidienne d'un sel alcalin naturel est une clef pour restaurer et pour maintenir la réserve minérale dans le corps, permettant ainsi de neutraliser la production de l'acidité provenant de la consommation d'aliments et de breuvages formant une condition acide. Tout comme M. Excelex explique dans ses enseignements, les minéraux sont extrêmement importants pour la santé, le rajeunissement et la vie. En conclusion, suite à mes propres expériences avec différents sels, je peux affirmer hors de tout doute que le sel "Happy Mood" développé par M. Excelex est le sel alcalin le plus efficace que je connais.

Selon mon opinion, M. Excelex a apporté une grande contribution à la science et à la santé de l'humanité, avec ses connaissances pour produire de l'eau structurée et le sel minéralisant alcalin. C'est une joie de partager son amitié et d'endosser ses efforts dans mon partage de ses découvertes avec les autres. Au plus haut de la liste pour la santé sont, l'eau structurée et les minéraux alcalinisants et je ne connais aucune autre meilleure source pour ces deux produits que les produits de M. Excelex.

Ron Garner, BEd., MSc.
Kelowna, British Columbia, CANADA
Auteur, *"The 4 Keys to a Long Life"*

Introduction

Après 29 ans en combustion, j'ai opté pour un nouveau départ — point zéro — c'est-à-dire à œuvrer avec la Nature et appliquer mes talents inventifs au profit de mon bien-être physique, celui de mon épouse et de l'Humanité. Depuis 1989, j'œuvre avec les essences de Vie des plantes ainsi qu'avec tous les règnes planétaires. J'ai opté pour un mode de vie en équilibre, en harmonie avec la Nature.

Puis, en 1997, j'amorce mes recherches en agriculture sans formation ou idée préconçue; c'est donc un départ point zéro. Installé au nord de la vallée de l'Okanagan, en Colombie-Britannique à 2000 pieds d'altitude dans un décor majestueux, l'eau provenant des montagnes, une flore et une faune abondantes : un petit coin de paradis quoi !

Je fais mon premier jardin : 3000 pi^2 et une serre de 1200 pi^2. La serre est chauffée avec des résidus d'une scierie locale qui alimentent une chaudière à eau (boiler) de ma conception. Cette chaudière chauffe une piscine intérieure de 16 pieds de diamètre et 4 pieds de profondeur, tout en procurant le loisir de s'y baigner, à l'intérieur d'un décor magnifique de fleurs et de plantes.

Puis, les cendres "très propres" et libres de toute forme de contaminant sont utilisées dans la production de trois produits couvrant ainsi tous les frais d'exploitation de la serre et du jardin avec même, un surplus d'abondance intéressant.

L'eau des montagnes arrive par gravité à 35 lb/po^2, directement à la maison et à la serre. Nous sommes, mon épouse et moi, choyés par Mère Nature.

De 1997 à 2000, les jardins sont superbes, les récoltes sont abondantes. Puis, à l'été 2001, je place une requête à la Source-de-tout-ce-qui-Est — le Principe Amour — et je demande comment faire mieux en agriculture pour obtenir des plantes et des produits plus sains, plus vivants — plus abondants — et ce en toute simplicité. En d'autres mots, comment obtenir le « PLEIN POTENTIEL des PLANTES ».

J'ai une réponse… oui ! Ce que j'entends intérieurement, c'est : « Focusse sur l'eau d'abord et avant tout ! »

« Oui mais, j'ai déjà une eau excellente… ! »

Et la réponse, toujours la même « focusse sur l'eau ».

OK… j'ai compris et je reçois le plan d'un appareil pour augmenter la Vitalité Générale et les Bio-Photons ou Potentiel de Lumière de l'eau pourtant déjà excellente.

Les résultats sont immédiats… Utilisant cette conception nouvelle que je nomme Hexahédron 999™ au printemps 2002, j'arrose le jardin et les plantes et fleurs en serre : c'est incroyable. En moins de 15 jours, il y a une nette démarcation entre les plantes arrosées avec l'eau de montagne … et cette même eau passant par mon appareil Hexahédron 999. Il en va de même pour les tests en germination.

Tout ça pour vous dire et partager nos magnifiques résultats, y compris au niveau de notre santé.

Mon épouse et moi, nous apportons le fruit de nos recherches qui, au fond, sont le début, la pointe de l'iceberg, ouvrant les portes toutes grandes à des recherches plus poussées sur l'eau; en partage avec l'Humanité, en unisson avec notre Créateur — le Principe Amour.

Nous vous invitons à laisser les portes de votre cœur, ouvertes; rien à croire ou à dénier, simplement regarder et permettre un nouveau regard sur la Vie en action.

Note : nous tenons à bien préciser que nous ne sommes affiliés à aucune religion, aucune secte, chacun étant souverain, autonome.

Lorsque Jésus vint sur terre, il n'y avait pas de chrétien; lorsque Bouddha vint sur terre, il n'y avait pas de bouddhisme. Tous deux sont allés directement au Principe Premier — Principe Amour. Ce qui fut bon pour eux est bon pour nous.

Le savoir est plus souvent un bourrage de crâne et très aléatoire. La connaissance est la sagesse du vécu.

L'expression « degré universitaire » traduite en anglais par "University degree" prend un sens très intéressant :

de = pas, négation, coupé de
gree = du latin grada
Donc, pas de graduation.

Ce qui signifie le contraire de l'intention et débourser des milliers de dollars et des années de sa vie pour ne pas être gradué ! Alors que vivre la Vie en harmonie avec les sciences de la Nature apporte la vérité qui rend libre et autonome avec cette Mère Nature qui révèle sa science en toute simplicité.

À ceux et celles qui sont habitués à des doctorats et autres choses du même genre, je dis : Dieu n'avait aucun diplôme pour créer l'Univers et la race Humaine et je suis tout comme vous un Fils (Fille selon le cas) de l'Un.

Mes 5 brevets d'inventions en chimie de combustion; la conception de 75 produits Essence de Vie; et le propriétaire d'une méthode pour un système pour structurer l'eau, ajoutant mes 60 années d'expériences sur cette terre, sont mes accréditations.

Donc j'aborde, dans ce livre, une science spiritualisée en dévoilant quelques secrets de Mère Nature avec Le Principe Amour.

M. E. Excelex

L'eau, c'est la Vie

Dans son état naturel, l'eau est vivante! Dans son état naturel, elle serpente avec ses spirales lui conférant purification et revitalisation. Les Romains et les Turcs concevaient leurs aqueducs en imitant le mouvement naturel des ruisseaux au lieu de tuyauterie en droite ligne, ce qui maintenait la vitalité de l'eau. Cette façon de faire de nos jours ... ne respecte pas la précieuse nature de l'eau ... et lui enlève sa force vitale. Ces aqueducs d'aujourd'hui endommagent l'eau en la faisant passer par des conduits en droite ligne sous pression, ajoutant divers produits chimiques lorsque ce n'est pas traité à l'ultra-violet. Conséquemment, ces eaux sont a priori mortes.

Le concept des eaux structurées et revitalisées est basé sur l'observation des lois naturelles. Revitaliser l'eau, c'est lui restaurer ses énergies naturelles et ses niveaux de structure organisée à travers des mouvements de spirale lui induisant turbulence avec transfert d'énergies subtiles.

L'eau fait 75% du poids de notre corps ... son importance est assez évidente. Dans son support pour la Vie tout comme pour le support de la Vie des végétations, l'eau peut atteindre jusqu'à 98% de leur poids sans oublier toutes les autres formes de Vie.

Après la Force de Vie Universelle et l'air, ... l'eau est le troisième élément nutritif, précédant les aliments solides dans la chaîne alimentaire. Le corps humain peut rester 40 jours sans manger, mais seulement quelques jours sans eau avant d'en subir les conséquences.

Être en bonne santé et pour une longue Vie, c'est directement lié à la qualité de l'eau que l'on boit et où l'on se baigne.

L'eau, c'est l'élément principal par lequel les éléments nutritifs et les minéraux sont absorbés à travers les membranes cellulaires, ... ce qui est essentiel à l'environnement cellulaire pour sa croissance et sa régénérescence. L'eau, tel un cristal, a un pouvoir mémoriel. Donc, nos cellules composées de 75% d'eau, peuvent recevoir des informations de l'eau autant pour notre bien-être que pour des "mal-a-dit". Le corps devient ce qu'on lui donne, la Vie commande la Vie dans le respect de soi, des autres et le respect de l'eau.

L'eau a comme pouvoir inné d'apporter la Vie et de la soutenir. Pas besoin d'études scientifiques pour la comprendre. C'est simple comme bonjour ! Clair comme de l'eau de roche !

Que ce soit un insecte, une plante, un animal, un enfant, tous répondent à l'eau, effervescence de la Vie...

Oui, Excelex, on sait déjà tout ça ! Il n'y a rien de neuf !

Rien de neuf, mais la majorité des 7 milliards, tout au moins les 300 millions d'Humains en Amérique du Nord, voient la magnificence de "l'eau" comme un solvant; puis la nourriture qui sert à bourrer le hangar de l'estomac.

Combien de gens sur 300 millions sont conscients de :

**La Vitalité Générale et du
Potentiel de Lumière (Bio-Photons)
attribués à l'eau et aux aliments et à leurs propres corps?**

Qu'une eau peut être morte ou vivante — bien oui — vivante ! Exemple : goûtez à une eau de source fraîche et propre et comparez avec une eau déminéralisée, embouteillée ou de municipalité ... Goûtez à la texture veloutée d'une eau structurée avec cette vibration énergétique qui active vos papilles ... puis comparez cette douceur veloutée !

Aussi, plus l'eau est vivante, plus il y aura la présence de petits feux d'étoiles, nommés Bio-Photons.

La science actuelle a pris un mauvais tournant concernant l'eau. C'est bien dommage car, maintenant, utilisant le levier de "l'argent", les compagnies favorisent des eaux dénaturées — mortes — et acides, vides de toute Vitalité Générale et de Bio-Photons pour simplement venir saper les dollars illusoires et fictifs, toujours au détriment de l'Humanité.

Pour certains, avec cette science contemporaine, une eau morte — acide — déminéralisée, c'est une eau "pure" — certes les polluants sont retirés, mais aussi retirée est la Force Vitale! Ils considèrent l'eau comme un solvant et non comme une substance vivante.

C'est comme si la Mère Nature s'était trompée au sujet de l'eau et que l'arrogante science limitative d'observation, qui pourtant ne peut observer que 2 % de ce qui est tangible, manque le bateau sur le 98 % d'espace qu'est la matière.

Eh oui! Prenez votre corps par exemple : il consiste en 98 % d'espace et en 2 % de matière.

En plus, pour lire ces lignes, vous êtes vivant — pour être vivant, votre corps a 75 % d'eau — c'est donc votre vie en action par le biais de l'eau qui donne la Vie.

Les plantes peuvent contenir jusqu'à 98 % d'eau (tel un melon d'eau).

En résumé, la vie, c'est l'eau. L'eau qui a comme premier attribut d'apporter et de soutenir la Vie, qui est ... l'Amour en Action !

L'eau, sa Vitalité Générale et son Potentiel de Lumière,

ses Bio-Photons et énergie particules Adamantines

Toutes les formes de vie sur cette station Terre possèdent sans exception :
- sa Vitalité Générale,
- son Potentiel Lumineux,
- ses unités Bio-Photons,
- sa quantité de particules Adamantines ou Force Vitale
- ses ions positifs ou négatifs

Toutes les substances, pour exister sur cette station Terre, ont aussi
- une Vitalité Générale,
- un Potentiel de Lumière,
- leurs unités Bio-Photons,
- une quantité et qualité de particules Adamantines ou Force Vitale
- leurs ions positifs ou négatifs

POTENTIEL DE LUMIÈRE - BIO-PHOTONS ➔ Photon égale Lumière, qui égale Énergie ... Bio pour biologie. Donc, Lumière Biologique émise par l'extrémité des chromosomes ou les télomères (voir Dessin Chromosomes la Vie en Action, **page 29**).

Il est reconnu scientifiquement qu'un corps Humain relativement en bonne santé émet (via les télomères) de 80 à 120 unités Bio-Photons par seconde par centimètre carré (u/sec/cm²) — le Bio-Photon est la luminosité d'une chandelle allumée à une distance de 10 kilomètres.

Un nouveau-né peut atteindre 200 et plus u/sec/cm². Il existe, cependant, plusieurs variables pouvant influencer ce potentiel selon le mode de vie des parents, l'environnement et le bagage génétique.

Une personne âgée de 70 ans et plus, révèle en général, une diminution plus ou moins grande de son potentiel Bio-Photonique, passant à ...

60 u/sec/cm²
40 u/sec/cm² ou
20 u/sec/cm²

... puis s'éteint, dans le sens propre ou figuré, c'est la mort ! ... ou l'absence de Vie, ou l'absence de Bio-Photons.

LA VITALITÉ GÉNÉRALE ➔ va suivre directement cette baisse de Potentiel de Lumière ou Bio-Photonique, car la *Vitalité Générale* est la résultante de l'activité Bio-Photonique (ou de Lumière).

Donc, en bref, réussir à augmenter son Potentiel de Lumière équivaut à plus de Vitalité Générale révélant ainsi un potentiel de régénérescence cellulaire évident.

- Étant donné que le corps Humain est constitué de 75 % d'eau;
- Étant donné que l'eau, c'est la Vie;
- Étant donné qu'une eau "bien" structurée augmente le pourcentage de germination des semences et la croissance des plantes,

Il y a un tout petit pas à franchir pour réaliser qu'une eau bien structurée peut influencer très positivement la régénérescence cellulaire; vérifiable par l'augmentation du Potentiel Lumineux chez les personnes consommant de l'eau bien structurée et consommant des aliments provenant de plantes alimentées, aussi, avec de l'eau bien structurée (contribuant à structurer ces plantes).

Le corps devient ce qu'on lui donne

Lorsque l'on ingère une eau, un breuvage, un aliment dont la Vitalité Générale et le Potentiel Lumineux avec sa qualité et quantité de particules Adamantines qui sont inférieures au taux vibratoire du dit corps Humain, cela **draine l'Énergie Vitale** ou freine l'évolution de ce corps — il en va de même pour les plantes et les animaux.

PARTICULES ADAMANTINES OU FORCE VITALE → ou la "manne", ce sont les plus petites particules manifestées dans l'Univers ...

- Indivisible
- Irréductible
- Non négociable
- Obéissant au Magnétisme de l'Amour.

Toutes les formes de vie, animées ou inanimées, sont nées à partir des Adamantines dont les anciens textes faisaient référence lorsqu'ils mentionnaient "La Manne".

Le prana ou Force Vitale pour d'autres, les sommatides, les Bio-Photons sont tous des noms désignant la manifestation tangible des Particules Adamantines pouvant être observées dans la matière.

Donc, pour les besoins de la cause, nous utiliserons le terme "Adamantines" ou Force Vitale. La quantité de Force Vitale ou de particules Adamantines que j'obtiens par précipitation sous forme d'un lait, ressemblant au lait maternel. **(Voir page 61)**

Maintenant, la station Terre a aussi son taux vibratoire.
En juillet 2004, son taux vibratoire était de :

Vitalité Générale = 6250
Potentiel Lumineux = 6340

Et puis après ?... c'est quoi l'importance !

Pour qu'un corps soit en santé sur cette station Terre, il a besoin de vibrer à un taux égal ou supérieur à la Terre, à défaut de quoi, c'est la "mal-a-dit" et la dégénérescence prématurée.

Étant donné que le corps Humain est constitué d'au moins 75 % d'eau, c'est le plein bon sens vital de consommer une eau la plus structurée et la plus vibratoire possible. Ainsi Vitalisée, l'eau devient un des principaux éléments nutritifs du corps Humain et de tous les organismes vivants.

La moyenne des gens dans la rue ont une Vitalité Générale et un Potentiel Lumineux entre 400 et 700. On ne se demande plus pourquoi ils vivent de plus en plus de "mal-a-dit".

À coup de milliards de dollars pour les hôpitaux et pour les drogues, les "disharmonies" chez les humains se multiplient. N'est-il donc pas temps de considérer une nouvelle approche vibratoire lorsque les budgets s'enlisent et que les gens s'amenuisent.

Pour être une eau de santé, cet élément nutritif de base, pour nous, doit avoir une Vitalité Générale d'au moins 5000 et un Potentiel Lumineux d'au moins 5100 donc, une eau bien structurée — tout en tenant compte qu'il y a plusieurs niveaux d'organisations structurelles. Donc, d'où plus elles sont structurées, plus élevés sont leurs Vitalité Génerale et Potentiel Lumineux.

Une eau structurée est une eau possédant la forme qui donne la Vie : l'hexagone ou l'étoile à six pointes.

Il y a plusieurs niveaux d'organisations structurelles :

✦ simple   ✦ complexe   ✦ très complexe

Les eaux soi-disant miraculeuses sont hautement vibratoires.
Les eaux bien structurées sont hautement vibratoires.

Le tout évalué sur une échelle de 0 à 10

C'est l'échelle que j'utilise en radiesthésie pour évaluer l'eau. Donc, j'évalue son Potentiel Lumineux puis ensuite, sa Vitalité Générale qui est soit inférieure ou supérieure au Potentiel Lumineux basé sur une échelle de zéro à l'infini (de 0 à ∞).

Prenons l'eau distillée. Son pH, 5.8, moyennement acide (peut varier de ± 0.2).

- Niveau de structure =   "zéro".
- Potentiel Lumineux =   Son Potentiel Lumineux est de 90.
- Vitalité Générale =   Sa Vitalité Générale est de 100.
- Bio-Photons =   Ses Bio-Photons → 1 u/sec/4cm^2
- Particules Adamantines =   Zéro particule
- L'observation =   Une Vitalité Générale de 100 et un Potentiel Lumineux à 90

a) Indique que c'est une eau qui draine l'énergie, la Force Vitale du corps Humain qui la consomme, car son Potentiel Lumineux est inférieur à sa Vitalité Générale.

b) Vide de minéraux égale vide de vitalité. (exemple : une personne anémique, entre autres).

c) Ses Bio-Photons donnent 1 u/sec/4cm^2, donc très faible en potentiel lumière.

d) Son niveau de structure organisée indique "zéro", donc une eau morte avec zéro particule Adamantine ou Force Vitale.

Note : j'utilise la lecture d'une eau distillée comme étalon, étant donné que c'est une valeur quasi constante. Pour plus de précision, je peux aussi utiliser l'eau **absolument déionisée** qui donne un pH constant de 5.14 (Cette valeur m'a été donnée par un laboratoire indépendant certifié de la Colombie-Britannique). Cette eau a une :

Vitalité Générale = 40
Potentiel Lumineux = 23
Bio-Photons = 1 u/sec/7cm^2

Ce qui m'a amené à mieux évaluer par radiesthésie
- tous les breuvages
- tous les aliments
- toutes substances, suppléments, vitamines, repas, etc.
- tout le corps Humain,

Donc, lorsqu'une Vitalité Générale est supérieure à son Potentiel de Lumière, cela indique qu'il y a eu une intervention d'une technologie ou électro-technologie ou un procédé de notre science contemporaine ignorant L'IMPACT DE LA FORCE VITALE ou une quelconque forme de pollution.

Certes, notre science a fait de belles réalisations, mais à quel prix envers l'environnement et à quel prix envers l'Humanité !

Notre science a besoin de se spiritualiser (non religieux S.V.P.)

Au fait, tout est SPIRIT-U-ALL La base fondamentale de la Vie

Puis, elle a tenté de faire mieux que la Nature en déployant une attitude agressive envers la Nature et/ou en utilisant force et compression pour réaliser des profits pécuniaires au détriment de l'Humanité.

Dessin Chromosome
La Vie en Action

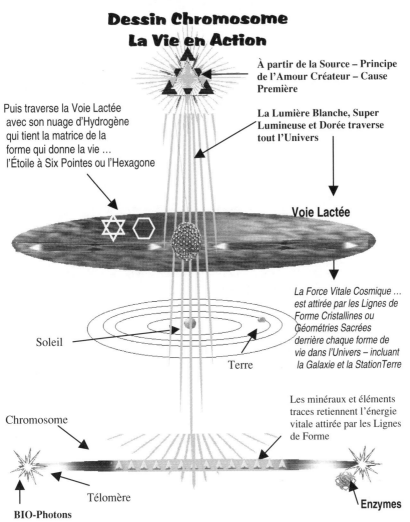

À partir de la Source – Principe de l'Amour Créateur – Cause Première

La Lumière Blanche, Super Lumineuse et Dorée traverse tout l'Univers

Puis traverse la Voie Lactée avec son nuage d'Hydrogène qui tient la matrice de la forme qui donne la vie ... l'Étoile à Six Pointes ou l'Hexagone

Voie Lactée

La Force Vitale Cosmique ... est attirée par les Lignes de Forme Cristallines ou Géométries Sacrées derrière chaque forme de vie dans l'Univers – incluant la Galaxie et la StationTerre

Soleil

Terre

Les minéraux et éléments traces retiennent l'énergie vitale attirée par les Lignes de Forme

Chromosome

Télomère

BIO-Photons

Enzymes

Les Lignes de Forme, derrière les chromosomes et toutes les formes de vie et éléments naturels, agissent comme une antenne pour polariser (attirer) la FORCE VITALE COSMIQUE ou UNIVERSELLE. Cette force vitale est transmise aux chromosomes et est retenue par les minéraux en équilibre dans les chromosomes et spécifiquement pour chaque forme de vie. La cristallinité des chromosomes émet cette force vitale au bout du chromosome, aux télomères qui rayonnent une Lumière nommée BIO-Photons pour le langage silencieux de l'ADN et pour toutes les fonctions intracellulaires . Un BIO-Photon est la luminosité équivalente d'une chandelle allumée à une distance de 10 kilomètres. Cette luminosité est mesurée par la science moderne en unité par seconde par centimètre carré (u/sec/cm²).

Chromo-Zomes = Zones de Couleur ou Zones de Lumière

Les Géométries dans les foins (crop circles) et les Géométries sur la glace (ice circles) sont des ondes de forme d'une grande ampleur qui servent à polariser la Super-Lumière (ou la Lumière Vivante) pour assister la planète, tous ses règnes et toute l'Humanité ... exactement à la réplique de la vie pour vous et moi mais à une plus grande échelle. Quelle que soit la forme manifestée, tout origine d'abord par des ondes de forme ou Géométries Sacrées.

La forme qui donne la Vie

Partant d'un plancton jusqu'à l'éléphant, d'une simple plante à un être Humain, tous les *organ-ismes* ont chacun leurs lignes ou ondes de forme qui leur sont propres (ou Géométries Sacrées) derrière leurs formes physiques.

Prenez une molécule d'hydrogène, vous y verrez l'hexagone. Prenez un cristal de quartz, vous y verrez l'hexagone dans sa structure moléculaire.

Imaginez l'intelligence qui guide l'abeille à construire sa ruche parfaite constituée d'alvéoles... hexagonales.

Prenez la quatrième paire de cellules d'un embryon Humain, vous y retrouverez l'étoile à six pointes de la forme hexagonale. Cette étoile des huit premières cellules se retrouve au périnée de chaque unité de l'espèce Humaine.

L'étoile à six pointes, l'hexagone, est
« la forme qui Donne la Vie »

(Note: Aucun rapport avec le Judaïsme)

L'eau, avec son H_2O, a ses propres lignes de forme qui, pour l'hydrogène, est l'hexagone ou l'étoile à six pointes, si vous préférez.

Une eau structurée possède, dans sa molécule ... la structure de l'hexagone ... ou l'étoile à six pointes.

Il y a aussi plusieurs niveaux de structures organisées : de simple à de plus en plus complexe, que j'évalue sur une échelle de 0 à 10.

Exemple : l'eau de glaciers reçoit 1 à 2 sur 10. L'eau distillée et d'osmose inversée reçoivent un 0 sur 10.

Plus un puits est profond, moins l'eau est structurée, pour un 1 à 3 sur 10. Un puits de surface peut donner de 3 à 4 sur 10

L'eau est un cristal liquide et peut être programmée pour recevoir des lignes de formes spécifiques.

Les lignes de forme par delà la forme peuvent être observées à l'aide d'un microscope à champ ionisé, à amplification de 750,000 fois (Réf.: Erwin W. Mueller, Université Penn. State). Il est possible d'observer un cristal de platine formant des bulles qui forment des pyramides de Lumière allant de toutes les étapes de formes géométriques jusqu'au champ immédiat du cristal.

Ces champs de géométries pyramidales s'observent aussi dans notre sang (un cristal). Par delà les groupes sanguins, chaque individu, chaque corps humain, à partir de son sang cristallin, a ses propres lignes de forme ou géométries sacrées. Chacun est unique dans son énergie vibratoire et dans son évolution. "Chacun est l'artisan de sa propre réalité" ... mon sang, c'est Sacré !

Donc à partir du plus petit atome de l'hydrogène à la plus grande constellation, les lignes de forme pyramidales de lumière peuvent être observées dans toutes les formes de vie et toutes les évolutions conscientes, qui sont dans notre univers basées sur la forme "matrice" de l'hydrogène avec sa géométrie de la "forme qui donne la Vie". Même notre Voie Lactée baigne dans un nuage d'hydrogène.

En quelques lignes, voici ma compréhension de la Vie en Action, en référence au Dessin Chromosomes **page 29** (ou en couleurs, **page 209**) :

a) Les lignes/ondes de forme inhérentes à chaque élément (minéraux) polarisent la Lumière Vivante ou Cosmique, puis la font rayonner aux extrémités des chromosomes, par les télomères;

b) Les télomères, petits cônes aux extrémités des chromosomes, reçoivent la Lumière/énergie et la font rayonner en Bio-Photons;

c) Ce rayonnement Bio-Photonique est le langage silencieux de l'ADN et active toutes les fonctions intracellulaires.

Une autre constatation! Si l'on fait abstraction des étoiles dans notre galaxie, que nous reste-t-il à observer ?

Eh bien, l'on remarque que notre Voie Lactée baigne dans un océan d'hydrogène !

Pourquoi ?

Parce que l'Hydrogène porte dans sa structure atomique la forme qui donne la Vie : l'Hexagone.

Y as-tu pensé? ... Ils ont fait la bombe à Hydrogène et non la bombe à oxygène!

Donc, la Vie en Action, c'est
la Source ou le Principe Amour en action

Les lignes de forme, aussi nommées des ondes de forme, sont inhérentes pour toutes les formes de Vie, incluant l'être Humain.

Chaque minéral, chaque cristal, du plancton à l'éléphant, a ses propres lignes de forme qui polarisent, agissant comme une antenne pour recevoir la force de Vie Universelle (énergie cosmique pour certains).

Lorsqu'une plante, un animal, un oiseau, un être humain possède tous ses minéraux en équilibre, alors il (elle) peut bénéficier de ces lignes de forme dans ses chaînes d'ADN. Et le résultat est quantifiable en unité de Bio-Photon par seconde par centimètre carré émis par les extrémités des chromosomes, nommées télomères.

Encore plus évident, lorsqu'une alimentation est vivante et en équilibre (libre d'OGM et d'irradiation), les lignes de forme propres à chaque élément nutritif polarisent leurs quotas de Force (énergie) Vitale dans chaque organ-isme.

Donc la synergie des minéraux en équilibre avec une alimentation saine, orchestre la symphonie de la Vie, où tous les organes émettent chacun leurs sons propres pour le chant de la Vie qui est l'Amour Divin en Action. D'où l'importance d'une eau vivante structurée, des plantes et produits structurés ... pour la structure de la Vie (notre corps), en toute simplicité et dans le respect de la Vie sous toutes ses formes.

Lorsque vous mangez ou buvez, vous faites l'ingestion des lignes de forme de ces éléments nutritifs relâchant leurs forces vitales ou praniques. Donc, plus cette force vitale est présente, mieux les ingestions sont assimilées par le corps. Il en va de même pour les plantes et les animaux. <u>Somme toute, il s'agit donc de hausser le taux vibratoire de l'ordre inférieur des concepts, notre corps physique inclus.</u>

À propos des OGM ➔ Les aliments irradiés et les OGM altèrent la Force Vitale dans les aliments. Pourquoi?

Les OGM et les irradiés ayant perdu leurs lignes de forme originales, ne peuvent plus capter la force (énergie) vitale attribuée à l'espèce et ne peuvent plus participer à la synergie des autres plantes ou de la flore du milieu.

Prenons l'exemple d'un arbre mort qui est dans un mode Dégénéro-Actif (ou qu'il soit malade) ... Il parasite les énergies de la végétation environnante. Autre exemple, une pomme qui moisit dans un sac va accélérer la moisissure des autres pommes.

Il en va de même pour la culture agroalimentaire et son environnement lorsqu'il y a des OGM dans les parages. En plus des croisements par pollinisation de la flore environnante, il y a parasitage d'énergie vitale de la part des OGM.

Ajoutons les arrosages à grands coups de pesticides et d'herbicides pour davantage affaiblir la force vitale des agro-alimentaires et de toute la flore du milieu. Voilà la recette pour des produits vides de Vie, à la table de l'Humanité.

Les produits irradiés détruisent l'essence vitale de tous ces aliments, faisant en sorte que ces aliments soient assurément dégénéro-actifs.

"Et le corps devient ce qu'on lui donne"

Donc ... Dégénéro-actif, sujet aux "mal-a-dit"

Ce dont le corps (et toutes formes de Vie organ-isées) a besoin, c'est de hausser son potentiel d'énergie vitale, donc pour devenir:

Régénéro-Actif (Régénésis)
Et
Généro-Actif (Génésis)

La mathématique simple de la Vie: si c'est vivant, ça donne la Vie; si ce n'est pas vivant, ça enlève ou diminue la Vie.

Exemple #1: Irradiation des aliments. Si vous tentez de faire germer une semence irradiée, elle ne germera pas ... donc pas de Vie pour elle ... même pas de Vie pour nous, quels que soient les aliments, c'est le même scénario.

Exemple #2 : Les semences "terminator" procurent une récolte, mais pas de semences. Alors, si une plante ne peut faire sa semence, c'est qu'elle est morte ... ou c'est une plante zombie. Parce qu'il y a eu interférence dans ses lignes de forme, elle ne peut plus polariser la Lumière Vivante.

"Sachant que le corps devient ce qu'on lui donne, c'est un pensez-y bien".

Les produits maraîchers qui n'ont plus leurs semences, donc ont perdu leurs pouvoirs de germination, sont donc des produits morts ou Dégénéro-Actifs ... tels que:

- Concombre anglais sans pépins
- Melon sans pépins
- Raisin sans pépins
- Pomme sans pépins
- Cantaloupe sans pépins, ... etc., etc.

Quelle idée absurde que d'enlever le pouvoir de la Vie des pépins (semences) de nos aliments. Soyons conscients et exigeons des produits au naturel avec leurs semences "Héritage" (semencier du patrimoine) pour l'Amour de l'Humanté. **Le pépin que l'on crache, c'est la Vie qui s'en va!**

Toutes les eaux déminéralisées — distillées — d'osmose inversées — polluées, ont perdu leurs structures. C'est pourquoi, elles sont mortes, car elles n'ont plus **la forme qui donne la Vie.**

Exemple : Voici un de mes résultats en germination avec l'utilisation d'une eau osmose inversée, filtrée 9 étapes... versus une eau structurée (pigeant au hasard dans une poche de fèves soya) :

No. 1 ... Eau Osmose Inversée

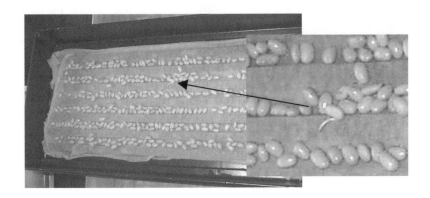

2 semences germées sur 390 (±10) = 0.666%
Dégénéro-Actif

No. 2 ... Eau de ruisseau propre, des montagnes de la Colombie-Britannique

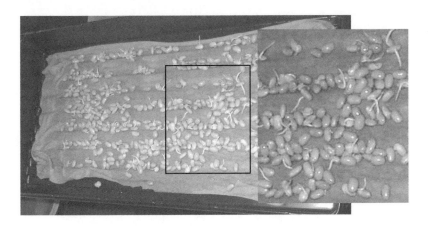

90 semences germées sur 390 (±10) = 23%
Généro-Actif

No. 3 ... Même eau que la photo 2 passant par notre système Hexahédron 999 ™

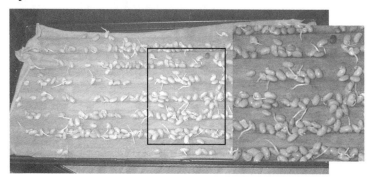

185 semences germées sur 390 (±10) = 47.4%
Régénéro-Actif
Plus du double de l'échantillon #2

Semence utilisée : Fève de soya de <u>4 ans</u>. Après la première année, les semences perdent, chaque année, un certain pourcentage de leurs pouvoirs de germination... Donc, après 4 ans, peu de germinations sont attendues.

Observez la germination du blé :

Utilisant 200 grammes de blé par échantillon, le blé germe sur un tapis de coton ... Après 7 jours, chaque échantillon de blé germé est roulé et pesé.

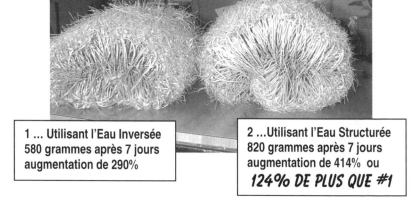

1 ... Utilisant l'Eau Inversée 580 grammes après 7 jours augmentation de 290%

2 ...Utilisant l'Eau Structurée 820 grammes après 7 jours augmentation de 414% ou
124% DE PLUS QUE #1

Après de multiples expériences en germination, en jardin et en serre, utilisant les eaux déminéralisées versus une eau vivante, les résultats sont concluants. Ces lignes de formes spécifiques ont une influence directe sur l'état de la forme finale dans la matière.

La clef pour la Vie, c'est une eau structurée avec ses lignes de forme qui donnent la Vie.

L'Hexagone ou étoile à six pointes

Visitez notre site Web à *www.wateralive.excelexgold.com*

(Eh oui, c'est en anglais pour le moment, mais les photos sont multilingues ! ! !)

L'eau, un cristal

L'eau est un cristal. Regardez les flocons de neige, l'eau congelée. Un cristal, c'est programmable, tout comme une puce électronique (mini-chip).

C'est-à-dire qu'un cristal a le potentiel d'une mémoire.

Donc, l'eau a une mémoire.

Le corps avec son 75% d'eau a donc ses mémoires, de même pour les plantes, les cristaux, les pierres, les insectes, les animaux, etc... "Nos aliments sont aussi à base d'eau". En résumé, toutes les formes de Vie ont une mémoire ou capacité mémorielle.

La preuve que l'eau est un cristal liquide programmable nous est donnée par deux médecins : les Drs David Schweitzer et Massaru Emoto.

Dr David Schweitzer

En 1996, le Dr David Schweitzer réussit à photographier l'influence de la pensée sur l'eau ... pour démontrer que l'eau peut se comporter comme un système de mémoire liquide capable de retenir de l'information, et les fluides du corps sont influençables par des pensées soit positives ou négatives.

Dans une entrevue en septembre 1997, (pour la revue "Shared Vision") il nous en a fait part ...

Je cite ...

"Tout a commencé après avoir observé le sang pendant une décennie: les cellules sanguines s'expriment avec un langage basé sur 'La Géométrie Sacrée, forme, couleur et formes harmonieuses'. J'ai pensé que, puisque les cellules sanguines sont suspendues dans l'eau, il serait possible de découvrir plus de détails dans l'eau elle-même."

C'est à partir de là qu'il a travaillé à la conception d'un microscope fluorescent ayant une température de lumière de 732 (nm), ... qui présentait cette plus grande possibilité d'observer les particules nommées sommatides ou petits corps lumineux. Ces petits corps lumineux sont directement influençables par des émotions ou positives ou négatives, devenant plus intenses avec des émotions positives.

Enfin, un éveil de la science contemporaine à ces **Géométries Sacrées** qui sont utilisées aussi par les moines tibétains depuis des centaines d'années.

Les recherches du Dr Schweitzer ont démontré une importante augmentation dans l'émission de Bio-Photons dans une eau revitalisée et restructurée.

Dr Masaru Emoto

Grâce aux recherches du Dr Emoto, nous avons des preuves photos de l'organisation structurelle de l'eau et l'influence de l'intention sur le pouvoir structurel de l'eau.

Le Dr Emoto développa une méthode consistant à congeler une goutte d'eau soumise à la lumière d'un microscope (x500 fois) puis à photographier sa cristallisation.

Exemple d'une formation cristalline de l'eau

Le Dr Emoto vérifia des milliers d'échantillons de différentes sources d'eau, d'un peu partout sur la planète, ... tels que lacs, rivières, ruisseaux, sources naturelles, municipalités, glaciers, eau distillée, etc. Chaque échantillon révéla une différente organisation structurelle.

Il poussa davantage ses recherches soumettant l'eau à différentes musiques, ... Beethoven, Mozart, Bach produisant de belles et différentes cristallisations. Puis une eau soumise à des musiques rock, heavy metal, ... ce qui a donné comme résultat des structures cristallines brisées ... distortionnées et/ou aucune structure.

Poussant plus loin ses recherches, il prit de petits vases pleins d'eau, écrivant différents mots sur ces vases, ... tels merci, amour/appréciation, etc., ... ce qui a eu pour effet de former une belle structure et cristallisation. Au contraire, lorsqu'il écrivit "sale" – "démon", etc., cela a eu pour effet de produire une masse dégueulasse.

Que d'images magnifiques à observer ... apportant un support pour les praticiens de médecines alternatives. Le Dr Masaru Emoto a publié son ouvrage sous le titre de "Messages from Water" dont nous vous recommandons la lecture. N'ayant pas reçu de réponses à nos courriels pour ses droits d'auteur, de la part du Dr Emoto, nous nous sommes contentés de produire des images générées par ordinateur pour faire une certaine représentation des formes cristallines avec différents niveaux d'organisation structurelle (voir Dessins **page 45** ou en couleurs, **page 210**).

Poursuivant nos recherches sur les différents niveaux d'organisation structurelle, nous avons déterminé plusieurs autres paramètres relatifs à la structure et à la vitalité des eaux, de même que l'influence du centre d'une goutte d'eau sur ses niveaux de structures organisées et sa cristallisation.

Depuis 1992, j'ai développé une méthode pour programmer les cristaux, les eaux et les aliments en utilisant le "Magnétisme de l'Amour", l'énergie primale, très différente du magnétisme électro-magnétique (que sont les aimants) qui, au fait, sont des énergies dérivatives ou secondaires. Cette méthode de programmation, je la nomme "Geometrical Holographic Crystaline Activation" ... en français ... "*Activation Holographique de la Géométrie Cristalline*".

Lorsque je conçois des produits "Essence de Vie" ou pour programmer des cristaux, cette activation confère aux différentes substances, une Force Vitale accrue et hautement vibratoire.

Aussi, il existe différentes méthodes pour programmer les éléments (dont l'eau que nous aborderons plus loin) afin de produire différents niveaux de structures organisées et de cristallisations.

Je vous invite à lire l'ouvrage du Dr Emoto : "*Messages from Water*" où il présente ses recherches et photos sur l'eau.

Dessin d'une Eau Structurée :

Passant d'une simple structure à des structures organisées de plus en plus complexes.

**Simple Structure
dessin modèle no 1**

**Moyennement Structurée
dessin modèle no 2**

**Structure Complexe
dessin modèle no 3**

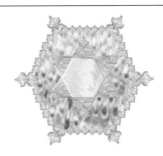

**Structure très Complexe
dessin modèle no 4**

**Eau Polluée
dessin modèle no 5**

ZÉRO STRUCTURE ⟵⟶

**L'eau Distillée
dessin modèle no 6**

Voir "Dessins" en COULEURS page 210

Les différentes organisations de structures, caractéristiques des eaux

Dépendamment de leurs niveaux de structures organisées, les eaux structurées offrent plusieurs possibilités (voir Dessin d'une Eau Structurée, **page 45**).

1. L'eau Structurée à organisation Simple. (voir modèle no 1, **page 45**)

* Exemples : (voir le livre du Dr Emoto, pages 57-58)
* les eaux provenant des glaciers;
* l'eau provenant d'un puits artésien : plus il est profond, moins structurée est l'eau.
* Utilisation des aimants et électro-aimants
* les eaux embouteillées d'une source naturelle non traitée

Cette eau possède un seul niveau de la forme hexagonale et peu d'agglomérations cristallines autour de l'hexagone, ainsi qu'une nette déformation de son centre.

L'organisation structurelle de ces eaux est simple pour au moins quatre raisons :

a) le manque de végétation collaborant à la polarisation des énergies cosmiques;
b) le manque de certains minéraux ou le manque d'équilibre minéral;
c) la non-exposition à l'air qui véhicule le Prana ou la Force Vitale;

d) le manque de mouvement, tel que le sinueux ruisseau et les rapides, et/ou pas de vortex énergétique.

Ce type d'eau a une Vitalité Générale moyenne, entre 1500 et 3300, un Potentiel moyen de Lumière, entre 1600 et 3400, et une présence de Bio-Photons dont la moyenne est de 1 u/sec/cm^2 (unité de Bio-Photon/seconde/centimètre carré).

Aussi, les particules Adamantines ou la Force Vitale sont peu nombreuses, soit environ 1/8 de c. à thé rase par litre.

2. L'eau Moyennement Structurée. (voir modèle no 2, **page 45**)

Cette eau possède plus d'un niveau de lignes de forme Hexagonale et une plus grande concentration de formes cristallines agglomérées autour des formes Hexagonales avec, en son centre, une déformation évidente.

✳ Exemples : (Voir le livre du Dr Emoto, pages 38, 46, 56)
✳ l'eau de certains ruisseaux
✳ l'eau de certaines sources
✳ et, de plus en plus rare, l'eau de petits lacs non pollués ! Et ce, dans la mesure où l'eau, dans son courant naturel, reste absolument intacte, de sa source jusqu'au début d'une zone polluée.
✳ l'eau magnétisée à un certain niveau par le magnétisme de l'Amour
✳ certaines eaux restructurées avec l'appareil

Sa Vitalité générale oscille en moyenne entre 4000 et 7000 avec un Potentiel de Lumière et de Force Vitale entre 4100 et 7100 avec la présence de Bio-Photons entre 2 à 3 u/sec/cm^2.

La concentration de particules Adamantines ou de la Force Vitale est un peu plus grande, soit environ ¼ c. à thé par litre d'eau.

À propos de cette Force Vitale (particules Adamantines), son comportement est très spécial, lors de l'exercice pour la précipiter avec ma solution naturelle "ZE". (voir le chapitre "Particules Adamantines manifestées : Du lait extrait de l'eau", **page 61**)

Une chose est certaine : ces Adamantines sont vivantes et puissantes énergétiquement, et ce en toute connaissance de cause.

3. L'eau Structurée Complexe. (voir modèle no 3, **page 45**)

Cette eau possède une série de lignes de forme (géométrie) Hexagonale et une structure cristalline complexe, avec son centre en miroir "presque parfait".

✻ Exemples : (voir le livre du Dr Emoto, pages 35, 49)
✻ de rares eaux de sources;
✻ l'induction du magnétisme de l'Amour selon la (ou les) personne impliquée, la qualité de l'eau au départ et la concentration des minéraux en équilibre;
✻ une bonne qualité d'eau naturelle passant par un système de revitalisation utilisant des cristaux de quartz programmés selon l'appareil.

La Vitalité Générale oscille en moyenne entre 7000 et 24000 et plus, avec un Potentiel Lumineux de Force Vitale entre 7100 et 24100 et plus, avec une présence de Bio-Photons entre 4 et 6 $u/sec/cm^2$ ou plus.

On retrouve également beaucoup plus de particules Adamantines (ou la Force Vitale), ... soit environ 1 c. à soupe par litre d'eau.

> **La présence et la qualité des minéraux plus ou moins concentrés sont responsables de la formation cristalline plus ou moins élaborée et de l'alcalinité de ces eaux et de la quantité d'Adamantines.**

4) L'eau Structurée très Complexe (voir modèle no 4, **page 45**)

Ce modèle numéro 4, illustré par le Dr Emoto, est la perfection pour une eau **avec son centre comme un miroir** :

"Love Appreciation ... Amour Appréciation"
(Voir le livre du Dr Emoto, page 96)

✸ sa Vitalité Générale : plus de 24000;
✸ son Potentiel Lumineux : plus de 24100;
✸ Bio-Photons : 7 à 10 u/sec/cm^2

Ici, c'est évident que le centre d'une goutte détermine le niveau d'organisation structurelle, ainsi que la Force Vitale de l'eau et son arrangement cristallin.

Prenez l'exemple de la page 112 du livre du Dr Emoto et comparez la même eau qui a été magnétisée par l'Amour — l'énergie d'Amour d'un enfant.

Chacun(e) a la même capacité de changer son eau en une eau vivante et saine pour le corps. Il est certes préférable d'amorcer la démarche avec de l'eau de la meilleure qualité qui soit. Plus vous pratiquerez à induire le **Magnétisme de l'Amour** quotidiennement, plus vous augmenterez votre potentiel et... bravo pour l'eau et pour vous et pour l'Humanité !

NOTE: Toutes ces valeurs (Vitalité Générale, Potentiel Lumineux, Bio-Photons) sont variables. Je donne ici des valeurs générales, car il existe plusieurs facteurs pouvant influencer une eau selon les différentes sources et les éléments présents.

5) Maintenant, des types d'eaux ayant perdu leurs structures
(Voir modèles nos 5 et 6, **page 45**)

✷ Exemple : l'eau distillée. (Voir le livre du Dr Emoto, pages 111 et 74)
C'est aussi typique pour les eaux suivantes :
✷ eau d'osmose inversée,
✷ eau déionisée,
✷ traitée aux U.V.,
✷ ozonée,
✷ eau ayant subi de 5-7 et jusqu'à 9 étapes de filtration.

Ce sont des eaux vides de polluants, mais aussi vides de Vie. La Vitalité Générale oscille entre 60 et 180. Le Potentiel Lumineux oscille entre 50 et 170.

Remarquez ici que le Potentiel Lumineux est inférieur à la Vitalité Générale, ce qui est typique pour ces eaux super filtrées et distillées. Ce sont donc des eaux qui drainent la Force Vitale du corps Humain et des organismes vivants.

La présence de Bio-Photons oscille entre 1 u/sec/3 à 7 cm$^{2.}$

Le pH de ces eaux oscille entre 5,14 et 5,9, en moyenne. Sachant qu'un café noir a un pH de 5,5, vous sentez-vous toujours prêt à boire un "bon" deux litres d'eau soi-disant pure ou distillée ou d'osmose inversée équivalant à autant d'acidité que deux litres de café noir ?

Prenons l'eau des municipalités, par exemple. À l'exception de certaines grandes villes, j'ai noté que plusieurs de ces eaux ont :

* une Vitalité Générale qui oscille entre 170 et 580
* et un Potentiel Lumineux entre 160 et 570
* la plupart une petite quantité de particules Adamantines, lecture de Bio-Photons entre 1 u/sec/cm^2 à 1 u/sec/3cm^2

Exception faite des villes qui utilisent des rayons ultra-violets, ce qui procure une eau morte (détruisant tous les microbes, certes, mais aussi tout espoir de Vie). Pour un échantillon d'une eau traitée par U.V., j'ai noté à ma grande surprise qu'il n'y avait pas même une petite particule Adamantine.

Vitalité Générale = 135
Potentiel Lumineux = 60
Bio-Photon = 1 u/sec/4cm^2

Les eaux de municipalités, en général, ont un pH moyen entre 6,7 et 8,2. Exception faite des eaux côtières de la Colombie-Britannique qui ont un pH de 5,5 naturellement acide, cela étant dû au manque de minéraux dans les sols côtiers.

Tentons maintenant une expérience en prenant des aimants pour magnétiser l'eau.

Hum ! Surprise les amis ? ! ?

Mon étude a démontré que les aimants et électro-aimants ont une :

Vitalité Générale qui oscille entre 750 et 3400
avec un Potentiel de Lumière entre 720 et 3200,

ce qui signifie un Potentiel de Lumière inférieur à sa Vitalité Générale... donc, une énergie dérivative et non une énergie primale. C'est-à-dire qu'une énergie dérivative ne peut générer et encore moins régénérer les cellules ou la Vie. Il y a une nette différence entre le *Magnétisme de l'Amour et le magnétisme des aimants.*

L'aimant émet une même énergie constante mesurable (en milligauss) fixe, alors que les cellules vivantes changent à chaque minute, heure, jour. Où est donc le bon sens ?

Entre l'Eau Vivante et l'Eau Vivante!

Les différents niveaux de structures organisées sont comme les phases de la Vie ... à titre d'exemples:

1. Eau hautement structurée	**L'enfant** Germination
2. Eau moyennement structurée	**L'adulte** Plante à maturité
3. Eau peu structurée	**Vieillard** Vieille plante

Lequel de ces trois exemples possède le plus de Force (énergie) Vitale et de Bio-Photons, selon vous? Déduction simple, c'est le numéro un.

Lorsque l'on aborde l'eau vivante, l'évaluation est basée sur le potentiel de Lumière Bio-logique ou Bio-Photons. Car la Lumière (le photon) est une Énergie de Vie.

Exemple ... la culture sous lampe U.V. pour les serres n'atteindra pas les résultats de la Lumière (photons) du Soleil. De même, il existe cette Lumière Super Lumineuse qui est polarisée (attirée) par les lignes de forme de chaque espèce et/ou forme de vie sur la terre et dans tout l'univers. De comparer cette Lumière Super Lumineuse à la Lumière du Soleil ... c'est un peu comme si le Soleil avait la luminosité de la Lune. Donc, pas nécessairement perceptible par les yeux de l'humain.

En résumé, lorsque l'on aborde l'eau vivante et l'eau structurée, la question qui vient immédiatement est ...

Quelle est son intensité de Vie en unité/sec/cm^2 ?
Quel est son niveau de structure organisée ?

La Lumière, c'est la Vie et ça prend la Vie pour créer et nourrir la Vie. Il en est ainsi fait.

Les Trois Types d'Eaux

Dans le chapitre précédent, nous vous avons démontré les notions fondamentales de l'eau par delà l'aspect H_2O, qui sont la vitalité et l'arrangement cristallin qui peuvent être identifiés à travers les différents niveaux de structures organisées. Le potentiel énergétique du centre d'une goutte d'eau, avec la collaboration des minéraux, influence toute la grille cristalline de l'eau, alors que les minéraux rayonnent chacun leur taux vibratoire spécifique. Donc, le centre d'une goutte d'eau (le coeur) exerce une influence directe sur la complexité de l'organisation des structures hexagonales.

Il y a trois catégories de niveaux de structures organisées ... soit ... Régénéro-Actif, Généro-Actif, ou Dégénéro-Actif. Chaque catégorie possède ses qualités spécifiques avec la sophistification de sa grille cristilline. Aussi, chaque catégorie a son échelle de valeur en Vitalité Générale et en Potentiel Lumineux accompagnée par ses niveaux d'émission de Bio-Photons.

Les Eaux Régénéro-Actives → possèdent une géométrie hexagonale très complexe, le plus haut degré de complexité cristalline, ainsi que des activités Bio-Photoniques très élevées. Le centre d'une telle goutte d'eau ressemble à un miroir parfait ou presque. Pour en arriver ainsi, cela requiert le Magnétisme de l'Amour. Le Magnétisme de l'Amour, c'est l'énergie première (primale) de la vie et ça prend la vie pour créer et soutenir la Vie ... l'Amour est la force de l'Univers ... pas en tant qu'une douce émotion, mais en tant que pouvoir ultime de l'Univers. Pour observer une goutte miroir d'une eau Régénéro-Active, voir en page 96 du livre "Messages from Water" du Dr Emoto (photo : Love/Appreciation) ou voir l'exemple modèle no 4 (**page 45**).

Pour qu'une eau se qualifie en tant que Régénéro-Active, sa Vitalité Générale minimale doit lire 11500 avec un Potentiel Lumineux de 11600. Ces valeurs sont basées sur l'eau distillée (V.G. 100 et P.L. 90, comme valeurs arbitraires). Une eau Régénéro-Active peut atteindre 90,000 et plus selon notre échelle de valeurs.

Un eau Régénéro-Active peut porter l'étiquette d'une "eau de guérison" et de régénérescence cellulaire, car elle est le produit du Magnétisme de l'Amour. Une eau Régénéro-Active ne peut être générée par une technologie électronique ou magnétique ... du moins, pas en date de l'an 2004. Par contre, n'importe quel être humain, même un enfant, possède ce pouvoir intérieur de produire une eau Régénéro-Active ici maintenant. Libre à chacun d'exercer son pouvoir. Il en est ainsi fait.

Le terme anglais "mind" traduit en français par "intelligence humaine" ... peut seulement déplacer les énergies existantes. Par contre, le Coeur qui contrôle l'intelligence humaine peut transformer sans effort la matière. Le Magnétisme de l'Amour, c'est la force dirigeante de l'Univers. N'importe qui, avec une intention noble, peut activer sa "régénérescence cellulaire" et le Magnétisme de l'Amour peut rendre une eau "miraculeuse", avec un peu de pratique. Par delà les dogmes et les limitations, ce que l'Humain conçoit, il peut le réaliser.

Aussi, il existe des appareils électro-magnétiques qui peuvent copier et induire une structure à une eau par transfert magnétique de l'empreinte ou la signature d'une goutte à une autre goutte d'eau et cette dernière possèdera une signature similaire ... **Mais attention**, il y a un "hic". La goutte "copie conforme" n'aura pas la force vitale de la goutte originale, car la goutte copie est comme une photo-copie de l'originale ... elle ne peut contenir les fonctions et qualités de l'**énergie Force Vitale** générées par le Magnétisme de l'Amour. Ça prend du Coeur pour aimer, pas du c.c. ou c.a. électriques, voyons donc les amis!

> Une grille cristalline à l'intérieur d'un champ d'énergie unifiée, propulsée par une intention noble, peut canaliser naturellement la force vitale ... sans l'aide de l'énergie électrique qui est une énergie dérivative.

Les Eaux Généro-Actives ➔ Une eau Généro-Active possède une structure hexagonale et un arrangement cristallin plus simple ... avec un bon taux d'émission de Bio-Photons. Cette eau a une Vitalité Générale (V.G.) qui oscille entre 2,400 et 11,500 et un Potentiel Lumineux (P.L.) de 2,410 à 11,600 (tolérance ± 50). À l'intérieur de cet écart, il existe une myriade d'arrangements cristallins qui sont directement reliés à la concentration et aux minéraux présents dans cette eau; ... car, chaque minéral possède sa propre onde de forme ou géométrie sacrée. <u>Tout comme chaque être Humain a en son sang sa propre grille cristalline, donc sa propre signature, que je tiens à garder intacte! Et toi?</u>

Une eau Généro-Active assiste dans le soutien de la Vie des cellules ... "et l'Homme ne vit pas que de pain seulement!"

Les eaux suivantes sont de nature Généro-Active :
- Eau de source pure et eau de guérison (miraculeuse) au naturel, absence : de pompage – de conduits sous pression et réservoir de stockage;
- Certaines eaux propres de puits ou de ruisseaux;
- Certaines eaux de nature alcaline, au naturel;
- Il existe certains appareils au naturel, sans aimant ou électro-aimant qui peuvent produire une eau bien structurée sans altérer la force vitale présente dans l'eau et/ou induire la force vitale, selon la conception de l'appareil.

Une eau Généro-Active peut aussi être produite par le magnétisme de l'Amour avec une intention noble ... une prière verbalisée ou en écrivant son intention noble sur un contenant. C'est le même processus pour réaliser une eau Régénéro-Active. Ce qui diffère est l'habileté ou la capacité (innocence) de polariser un plus grand potentiel vibratoire doublé d'une intention noble. Avec un peu de pratique, il est à la portée de tous de réaliser une eau (et/ou un mets) Régénéro-Active.

Les technologies mécaniques et/ou électro-magnétiques peuvent tout au plus réaliser une eau Généro-Active minimale ... car il manque le Magnétisme de l'Amour et/ou la polarisation de l'ultra-Lumière propre aux lignes ou ondes de formes naturelles (voir l'exemple modèle no 1 et 2, **page 45**).

La caractéristique première d'une eau Généro-Active est la présence de déformations à l'intérieur du disque central d'une goutte d'eau ... donc n'a pas la perfection du miroir. Ensuite, sa Vitalité Générale et son Potentiel Lumineux sont limités. Et finalement, les Particules Adamantines sous la forme liquide sont en moins grande quantité ou bien endommagées par le rayonnement électro-magnétique (mesurable en milli-gauss).

Exemple ... une eau chargée de particules Adamantines chauffée au four micro-ondes produira des particules granulées (mortes). Cette même eau produira une substance laiteuse, sans granule, tel un lait maternel, lorsque chauffée jusqu'à 160 – 170 °F à l'aide d'une flamme ouverte !

Tous les breuvages et/ou mets soumis au four micro-ondes n'auront aucune force vitale et leurs particules de prana seront détruites ne serait-ce qu'avec 5 secondes d'exposition !

Tentez vous-même l'expérience. Faites chauffer au micro-ondes pendant 5 – 10 secondes un litre d'une eau vivante ... eau de source au naturel, même une eau municipale au "forcail". Laissez refroidir et arrosez une plante pendant 7 jours. Prenez une autre plante témoin et versez-lui la même source d'eau non soumise au four micro-ondes. Ou faites l'expérience de la germination avec de la luzerne et en 4 jours comparez le rendement des deux bacs témoins.

Le four micro-ondes n'est pas conçu pour soutenir la Vie !

Les Eaux Dégénéro-Actives ➔ Les eaux Dégénéro-Actives ont perdu leurs forces vitales et leurs vitalités de base ... aussi perdu leurs géométries hexagonales et l'ensemble de leurs structures cristallines. Elles n'ont plus ou presque plus d'activités Bio-Photoniques (Voir l'exemple, modèles nos 5 et 6, **page 45**).

La Vie soutient la Vie ... donc ces eaux peuvent seulement drainer la force vitale et la vitalité du corps humain ou de tout autre organisme vivant. La Vitalité Générale et le Potentiel Lumineux de ces eaux sont très révélateurs ... Exemple, la Vitalité Générale peut osciller entre 60 et 180 avec un Potentiel Lumineux inférieur à sa vitalité, soit de 40 à 170.

Voici une liste de ces eaux Dégénéro-Actives:
- Distillée ;
- D'osmose inversée ;
- Déionisée ;
- Traitée aux U.V. ;
- Ozonée ;
- De multiples étapes de filtration ;
- Certaines des eaux municipales (traitées), selon leur point d'origine;
- Ré-ionisation par électrolyse qui rend les Particules Adamantines sous la forme d'une "amibe" difficile à précipiter et chargé d'une lueur bleutée très pâle ;
- L'utilisation de certains aimants ou électro-aimants (à moins que leurs champs d'énergies soient conçus pour neutraliser les aspects de désintégration des aimants).

Boire de ces eaux sans les restructurer et les minéraliser au naturel **draine les énergies vitales du corps et accélère le processus de dégénérescence cellulaire** et il en est de même pour tous les organismes vivants ... "car le corps devient ce qu'on lui donne". (Voir nos tests de germinations de soya, **pages 37 et 38**).

C'est ce dont les différents modes de filtration ne tiennent pas compte à travers leurs filtrations et ce, même si les différentes substances polluantes ont physiquement été enlevées; il n'en demeure pas moins que leurs signatures (empreintes énergétiques) ou leurs champs miasmiques sont toujours présents, incluant leurs basses fréquences vibratoires.

Rappelons-nous que l'eau a une capacité de "mémoire", donc a la capacité naturelle de conserver une ou plusieurs informations et de les transporter à son consommateur ... humain, animal, plante, insecte. Même si le ou les polluants sont tangiblement absents ... leurs signatures peuvent être ingérées avec leurs effets négatifs pour le consommateur. (Exemple, les produits homéopathiques qui sont de très fortes dilutions de la substance mère.) Maintenant, le fait de hausser le taux vibratoire et de restructurer ces eaux a pour effet de neutraliser les basses fréquences vibratoires et d'induire la Vie.

Particules Adamantines manifestées :
Du lait extrait de l'eau !

Quels que soient la nourriture ou le breuvage que vous consommez, ce que le corps — vos cellules — recherche avant tout, c'est la Force Vitale de première instance.

Où la trouver ?
* l'air frais en est chargé;
* l'eau structurée en est chargée;
* les fruits et légumes frais "jeunes produits" en sont chargés;
* tout ce qui vit a son potentiel de PRANA;

Puis, tous les autres éléments nutritifs viennent en second, en importance.

Les vitamines, les suppléments, les omégas, les XYZ de notre science contemporaine sont les derniers éléments venant assister la nutrition du corps et/ou des cellules. Les suppléments **pour le temps requis afin de suppléer à une carence** ça va; mais, ils ne sont pas comme des aliments sains vivants, à en faire l'ingestion pendant des années!

La concentration de la Force Vitale (Prana) dans les ingestions (consommation) est directement liée à l'émission de Bio-Photons, mesurée en unité Bio-Photons/seconde/cm² aux petits cônes à l'extrémité des chromosomes de tous les Êtres Humains (et organismes vivants) ... nommés télomères.

La qualité du Prana, énergie vitale, est aussi importante. Par exemple ...

-   Un air vicié portera moins de Prana et aura un faible taux vibratoire.
-   Une eau de qualité "VIVANTE", chauffée au four micro-ondes, donnera des particules sous forme de granules non assimilables ou n'ayant plus leur potentiel de VIE.
-   Toutes les conserves ont perdu la majorité de leurs Forces Vitales.
-   Une émission électromagnétique de 3 milligauss (exemple : un réchaud de cuisinière électrique) à un chaudron placé sur ce réchaud, est suffisant pour dénaturer la Force Vitale Pranique modifiant ainsi la structure de l'eau, soupe, etc...

Depuis 1998, j'ai vérifié la teneur en force Pranique de plus de 2000 produits, tels que eaux, légumes, fruits. Je vous promets un vidéo sur la précipitation de la Force Vitale présente dans les cadeaux de la Nature qui se précipite tel un lait!

Voyons donc, du lait extrait de l'eau !

Oui, du lait hors de l'eau !
Non !
Oui !
Explique-nous !

J'ai mis au point une formule, une solution toute naturelle et, lorsque j'ajoute 10 % de cette solution "ZE" à une eau pré-chauffée à 160 °F 180 °F, dans ce litre d'eau, cela produit la manifestation de la Force Vitale présente dans l'eau.

C'est-à-dire que, s'il y a une Force Vitale, elle se précipitera au fond du contenant (de verre).

Je procède ainsi :

D'abord en chauffant l'eau, la tension de surface, le ménisque, s'affaiblit. J'ajoute alors la solution "ZE" qui polarise la Lumière Vivante; les Bio-Photons alors relâchent la Force Vitale de l'eau ou le Prana présent.

Cependant, si c'est une eau morte telle que, (après plus de 150 tests) :
- d'osmose inversée,
- distillée,
- déminéralisée,
- traitée aux U.V.,
- embouteillée (ne provenant pas d'une source d'eau naturelle),
- de multiples stades de filtration,

il n'y a plus de Force Vitale, donc aucune particule Adamantine.

"NIET" - "NEDABRÉ" - "KAPUT"
"NONE" - "AUCUNE"
c'est
– MORT –
Point à la ligne.

Maintenant, prenons une eau hautement structurée vivante. Eh bien, selon son potentiel de :

- Vitalité Générale,
- Potentiel Lumineux,
- Bio-Photons,
- Minéraux,
- Concentration de Prana,

… il y aura manifestations visibles. Vous verrez de vos "propres yeux" cette Force Vitale qui est comme un lait maternel suite à l'ajout de la Solution "ZE".

"C'est au boutte ! n'est-ce pas ?"

Avec une bonne source d'eau vivante, je peux obtenir jusqu'à 1,5 litre de lait par baril de 100 litres d'eau. C'est ce que j'obtenais de l'eau ruissellant des montagnes, en Colombie-Britannique.

Ce lait extrait hors de l'eau, s'extrait aussi de toutes plantes et/ou végétaux, car ce Prana ou particules de Vie sont présents dans toutes les formes de Vie selon la qualité de l'eau, du lait, du jus des végétaux qui sont plus ou moins S̲T̲R̲U̲C̲T̲U̲R̲É̲S̲. Donc, ce n'est pas **seulement l'eau qui peut être structurée, mais aussi tous les végétaux, les animaux et l'être Humain.**

Décris-nous ce qui se passe dans le pot en verre !

Photo Force Vitale ou Particules Adamantines extraites de l'eau

Précipitation de la Force Vitale "La Manne"

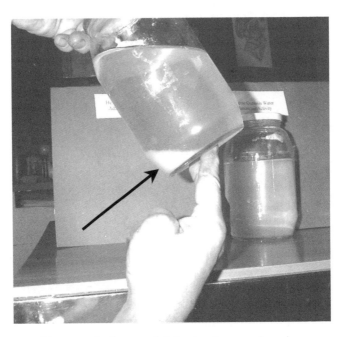

Voyez cette "manne", tels des flocons de neige

OK ... passons à l'action:

✓ Prenons une bonne source d'eau. Le litre d'eau est à 170 °F (±10°) chauffé à l'aide d'une flamme ouverte.
✓ Je la verse dans un pot en verre.
✓ J'ajoute la solution "ZE" 10 %.
✓ Je ferme immédiatement le couvercle, car ces particules peuvent s'envoler facilement.
✓ Je pose le pot sur le comptoir et ... observons ensemble...

Dans cet échantillon d'eau de source naturelle, il y a beaucoup de Force Vitale car, en moins de trois secondes, *l'eau devient laiteuse.*

Il se forme ensuite comme une gélatine transparente, presque invisible.

Les particules Adamantines montent et descendent dans le pot; c'est bien vivant. **Comme une danse de la Vie.**

Puis, ces particules se précipitent cumulant au fond, formant jusqu'à ¼ de pouce de dépôts de "Manne" parce que l'on a ici, une bonne qualité d'eau.

Après quelques heures, tout semble au repos. Il y a peu d'activité à l'intérieur du pot.

• Je retire lentement 90 % du surplus d'eau ou environ 900 ml. Il me reste environ 200 ml d'une substance laiteuse.

Suite à une centaine de prélèvements d'eau de puits artésiens — ces eaux peuvent être très propres avec très peu de prana (manne) comme l'eau des glaciers — parce qu'il n'y a pas ou peu de contact avec la végétation d'une part et pas de contact avec l'air et non soumise à des vortex énergétiques.

J'ai noté que la majorité des eaux de municipalité ont une présence de particules Adamantines parfois même plus grande qu'une eau de puits artésien. Ceci n'est pas une constante, car chaque eau est différente et a besoin d'être analysée pour en connaître les propriétés et particularités.

Pour les eaux municipales traitées par U.V., il ne subsiste aucune Force Vitale — zéro Adamantine ou Prana manifesté.

Et, que fais-tu de ce lait ?

Je l'ajoute au compte-gouttes dans :
* mon eau,
* mes breuvages,
* mes soupes et mets divers,
* aussi, dans nos préparations vibratoires maisons, « Essences de Vie », afin d'en augmenter la Force Vitale et qui sont de précieux produits d'entretien pour le corps.

Nous produisons une gamme de produits Essences de Vie, tels :

- des baumes,
- des onguents,
- des teintures mères.

Ce lait est aussi ajouté aux huiles essentielles, à l'eau du bain, etc. Ce lait, Nectar de Vie, est disponible.

Nous mettons donc en pratique ce que nous partageons, soit de :

Hausser notre taux vibratoire,
donc notre Force Vitale,
en toute simplicité.

> **La mission de l'Être Humain est de hausser le taux vibratoire de l'ordre inférieur des concepts.**

« *Ça c'est mon job et toi ?* »

Autres informations à propos du Prana, cette Force Vitale qui provient des particules Adamantines.

En effectuant plusieurs essais utilisant, par exemple, une eau d'osmose inversée, distillée ou déminéralisée absolue, ajoutant ma solution "ZE" dans un échantillon d'un litre d'eau, il n'y a aucune particule Adamantine.

Maintenant, prenons une eau d'osmose inversée qui est, par la suite, ré-ionisée par électrolyse ajoutant ma solution "ZE". Il y a présence de particules Adamantines qui dégagent une lumière bleutée visible à l'œil nu et formant une sorte d'amibe qui demeure gélatineuse même après trois (3) mois.

Lorsque je compare la vitesse de précipitation des particules de l'échantillon ré-ionisé avec les particules d'un échantillon d'eau de bonne qualité structurée (vivante), après avoir brassé les deux contenants, les particules Adamantines de l'eau bien structurée se précipitent au fond du contenant en moins de 30 minutes, alors que les particules de l'échantillon ré-ionisé prennent plus de 60 minutes pour se précipiter. Elles sont donc moins denses. De plus, jamais elle ne se fixeront solidement dans la matière comparativement à l'échantillon de l'eau structurée.

Prenons un autre échantillon d'une eau structurée de qualité (vivante) qui est chauffée à l'aide d'une flamme et un second échantillon de cette même eau chauffée à l'aide d'un four à micro-ondes.

Les particules du premier échantillon sont floconneux, laiteux, puis, en les brassant à quelques reprises, après 30 minutes, les particules se compactent ou se solidifient comme une neige.

Par contre, dans l'échantillon passé au micro-ondes, les particules forment de minuscules granules ayant perdu leurs propriétés et sont grandement altérées et se précipitent rapidement!

Avec un même test, mais en chauffant l'eau à l'aide d'un réchaud électrique, on constate que les particules sont entre le modèle de l'eau structurée et le modèle du micro-ondes (selon l'intensité du réchaud).

Donc, les forces électromotrices ont un impact négatif sur les Particules Adamantines, altérant leurs propriétés dans leur état final dans la matière.

Prenons, au choix, des jus de pommes, de carottes ou de zucchinis biologiques, fraîchement extraits. Ces jus vont révéler leurs Particules Adamantines, car tous les organismes vivants, pour exister, ont dans leurs cellules, une quantité de Particules Adamantines manifestées sous forme de particules praniques.

Fait à noter :

a) Une fois lavées, ces particules, si je ne les stabilise pas avec un sel naturel à pourcentage défini, elles se détériorent au point de sentir le compostage en moins de 30 jours.

b) Si j'enlève le couvercle du récipient alors que les particules sont présentes dans la solution jus/"ZE", en moins de 14 jours, ces particules s'évadent. Elles sont donc actives, vivantes et s'en retournent d'où elles viennent, soit de l'éthérique ou bien d'un plan (dimension) supérieur.

c) Chaque espèce vivant sur Terre possède son propre potentiel, sa propre quantité et ses propriétés de particules Adamantines relativement à chaque espèce et format de l'espèce et la qualité de l'espèce qui est plus ou moins structurée dans ses chromosomes et au niveau cellulaire.

Les plantes génétiquement modifiées subissent une baisse de particules Adamantines, donc de *Force Vitale*. Il en va de même pour tous les animaux. En plus, cette baisse de particules sera d'autant plus accentuée qu'il leur sera ajouté :

- les vaccinations,
- les pesticides,
- les herbicides,
- les irradiations,
- le manque de minéraux,

... qui ont un impact négatif sur le résultat final de la qualité et de la quantité de particules Adamantines.

Ajoutons les eaux super filtrées dénaturées à la diète, et l'Humain faisant l'ingestion de ces aliments et de ces eaux dénaturées, ci-haut mentionnés, en subira l'impact dans ses chromosomes et dans sa Force Vitale, car **le corps devient ce qu'on lui donne**.

Les conséquences à plus ou moins long terme sont :
- une baisse de vitalité générale;
- une réduction des émissions de bio-photons aux télomères;
- des candidats sujets aux "mal-a-dit";
- une dégénérescence accélérée des cellules, d'où un vieillissement prématuré;
- une aberration de la conscience favorisant une scission d'avec la réalité de la Vie, de la Nature et du Principe Universel;
- pour plusieurs, ce manque de particules Adamantines saines favorisera l'embonpoint, car le corps cherche à compenser ces manques par une plus grande consommation d'aliments.

Autre test ➜ Prenons une eau d'osmose inversée qui passe par 9 étapes de filtration d'une distributrice automatique dans un super-marché et ajoutons la solution "ZE" : il n'y a aucune Particule Adamantine.

Prenons maintenant un second échantillon de cette même eau et ajoutons 1 c. à thé de sel "Humeur Joyeuse" (sel alcalin naturel) et la solution "ZE". Résultat : en moins de 30 minutes, il y a l'équivalent de 2 c. à soupe de Particules Adamantines, d'où l'évidence que les minéraux ont cette propriété de polariser et relâcher la Force Vitale.

Anecdote intéressante ➜ Lorsqu'en Colombie-Britannique en 1999, à l'automne, je récoltais un bon 15 livres de pommes de notre pommier, j'en extrayais le jus puis le filtrais pour obtenir un jus doré et bien clair. Puis, je le chauffais à 160 °F et j'ajoutais la solution "ZE", et voilà la Force Vitale, ces particules de Prana qui se manifestaient en quantité. Après 8 heures, tout était sédimenté, formant un beigne de 3 à 4 pouces de diamètre tout autour, au fond du contenant de 20 litres sur lequel je plaçai un couvercle.

Le lendemain, nous partions en voyage pour Vancouver pour revenir 5 jours plus tard. J'enlevai le couvercle pour vérifier ce beigne de Nectar de Vie ! Tout était beau; le gros beigne était bien en place.

J'ai laissé le couvercle enlevé et nous allâmes nous coucher.

Le lendemain matin, il me prit l'idée de voir s'il y avait du changement au fond du contenant... Ah ! ça parle au .....! 90 % du beigne de Nectar de Vie, ces particules de Prana s'étaient envolées pour retourner d'où elles venaient ! Tout ce travail pour finalement perdre ces particules de Vie... mais quelle expérience !

Ions Négatifs de l'Hydrogène

Tout le monde sait que nous avons besoin d'oxygène ... mais combien peu savent que nous avons davantage besoin d'hydrogène. L'oxygène brûle l'hydrogène pour relâcher cette énergie qui soutient le corps. L'hydrogène est le principal élément dans notre Univers, soit 90% de tous les atomes ... puis l'hélium 9% et le reste des éléments, un maigre 1%.

L'hydrogène se retrouve dans tous les organismes vivants (plantes, animaux, etc.); ainsi que dans toutes les composantes du corps humain. L'hydrogène se retrouve dans l'ADN, ces molécules qui codent notre bagage génétique, qui assure l'unicité de chaque forme de Vie.

L'hydrogène (H), le plus petit des atomes, avec un seul électron chargé négativement et un proton chargé positivement. Ces deux charges électriques s'équilibrent, devenant neutres.

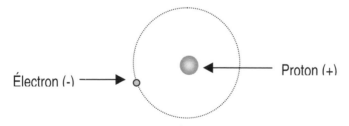

Atome d'Hydrogène (H)

A cause de sa petitesse, il a cette habileté de pénétrer toutes les cellules ... et d'assurer la communication entre les cellules et les divisions cellulaires.

Les atomes d'hydrogène forment des liens de covalence entre eux et avec les autres atomes. Deux atomes forment un lien de covalence lorsqu'ils partagent leurs électrons. Une molécule d'eau (H_2O) se retrouve avec deux atomes d'hydrogène et un atome d'oxygène :

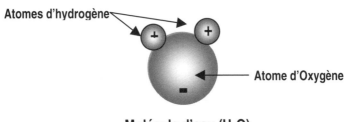

Atomes d'hydrogène

Atome d'Oxygène

Molécule d'eau (H_2O)

Avec l'oxygène qui a une charge négative et l'hydrogène qui a une charge électrique positive, la molécule d'eau devient électriquement polarisée à partir de ces deux polarités, tels des aimants, s'agglomérant à d'autres molécules d'eau. Donc une molécule d'eau n'aime pas vivre seule ... a besoin de compagnie! Elle préfère s'agglomérer, c'est sa nature.

Parce que l'atome d'oxygène de l'eau cherche à monopoliser l'électron dans sa molécule, le proton de l'hydrogène est faiblement retenu, donc se sépare facilement. Lorsqu'un acide est mélangé à de l'eau (eau acide), l'atome d'hydrogène faiblement retenu se sépare laissant derrière les électrons. Donc, l'atome d'hydrogène a perdu sa charge négative d'électron. Résultat, il ne reste plus que le proton avec sa charge positive ... qui devient une particule chargée positivement, nommée ion d'hydrogène ou H+.

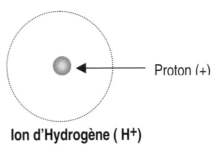

Proton (+)

Ion d'Hydrogène (H+)

L'hydrogène forme aussi des liens ioniques avec certains métaux, formant un composé nommé "hydride". Un lien ionique est formé entre deux atomes lorsqu'un atome donne un électron à un autre atome. Dans le lien ionique des hydrides, l'atome du métal donne son électron à l'hydrogène ... faisant de l'hydrogène un ion chargé négativement (H-).

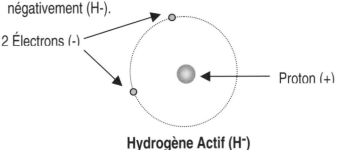

2 Électrons (-)

Proton (+)

Hydrogène Actif (H⁻)

Lorsque nous avons deux électrons (-) en orbite autour du noyau qui crée une charge négative, ... nous obtenons de l'Hydrogène Actif ou ions H moins (H-).

Le Facteur ORP ➔ L'avantage des ions H moins (H-) est qu'ils peuvent donner un électron pour neutraliser un radical libre sans devenir un radical libre pour autant. Les radicaux libres sont des atomes ou groupes d'atomes, a qui il manque un électron, ce qui les rend réactifs et instables.

Alors, ils se promènent dans le corps pour dérober les électrons des tissus sains afin de combler leur manque, ... ce qui endommage ces tissus. Ils peuvent même dérober des électrons de l'ADN pour causer des conditions chroniques. Il y a des radicaux libres qui sont produits par le sous-produit des réactions d'oxydation du métabolisme. Mais pour la plupart c'est le résultat de conditions de vie non saines, ... à savoir, diète pauvre, le stress, les pollutions de l'environnement, corps acide, etc.

L'hydrogène Actif (H-), c'est un puissant anti-oxydant. Les anti-oxydants peuvent facilement passer leurs électrons aux radicaux libres pour les stabiliser et/ou les neutraliser.

L'Hydrogène

Ion Hydronium (Ion d'Hydrogène) H+ Perd son électron	Atome d'Hydrogène H	Ion Hydride (Hydrogène Actif) H- Gagne un électron
• Un Proton (+)	Un Proton (+) - a une charge électrique positive	• Un Proton (+)
• Zéro Électron	Un Électron (-) - a une charge électrique négative	• Deux Électrons (- -) ou (–2)
• Hydrogène Cation		• Hydrogène Anion
• Ion chargé positivement	Zéro charge Les 2 charges en équilibre résultant en charge neutre	• Ion chargé négativement
• Nature Acide	Neutre	• Nature Alcaline
• Dégénéro-actif	Généro-actif	• Régénéro-actif
• À prédominance magnétique		• À prédominance électrique

Ion ➜ une particule chargée électriquement (positivement ou négativement) : un atome, une ou plusieurs molécules qui ont gagné ou perdu un ou plusieurs électrons

Anion ➜ un ion chargé négativement

Cation ➜ un ion chargé positivement

Régénéro-Actif   ➜ Augmente le potentiel vital
Généro-Actif   ➜ Soutient le potentiel vital
Dégénéro-Actif   ➜ Dégénère le potentiel vital

Voici quelques exemples d'anti-oxydants qui, soit dit en passant, n'ont pas tout à fait cette plus haute qualité du H moins (H-) mais néanmoins sont des anti-oxydants recommandables : la vitamine C, la Béta-carotène, la vitamine E, le sélénium, le thé vert. Considérant que ces anti-oxydants, lorsqu'ils cèdent leurs électrons aux radicaux libres, deviennent eux-mêmes des radicaux libres et se volent entre eux les électrons. Donc, l'idéal est une substance ayant un H- comme les sels de mer naturels, notre "Sel Joyeux" et certains minéraux.

Lorsque l'hydrogène Actif (H-) cède un de ses électrons à des radicaux libres, il devient un atome d'hydrogène (H), donc neutre. L'hydrogène Actif et chargé produit une plus grande conductivité électrique à l'intérieur des cellules, ce qui est essentiel pour le bon fonctionnement cellulaire. La communication entre les cellules est vitale pour l'harmonie cellulaire, d'où une eau avec plus d'ions H moins (H-) assure une meilleure communication.

L'ion H moins (H-) est facile à mesurer à l'aide d'un appareil numérique portatif ORP (le potentiel d'oxydo-réduction). L'ORP mesure le nombre d'électrons présents en relation avec les protons. Plus il y a d'électrons, plus élevé sera le Potentiel d'Oxydo-Réduction pour l'eau comme pour les aliments. Les lectures se situent entre +1200 et –1200 millivolts. Donc, plus le chiffre négatif augmente (–200, –500, –800), plus élevé est le Potentiel d'Oxydo-Réduction. Inversement, plus le chiffre positif augmente (+200, +500, +800), moins il y a d'électrons de disponibles, alors la lecture positive sera plus élevée, donc un oxydant.

Plus abondante est la production d'électrons à l'intérieur d'un corps, plus il y aura production de l'ATP (Adénosine Triphosphate) qui est la molécule porteuse d'énergie. L'ATP c'est donc la molécule hautement énergétique qui emmagasine et relâche l'énergie dont nous avons besoin chaque jour, énergisant tout le processus cellulaire et intra-cellulaire.

Une eau bien restructurée et revitalisée a tendance à augmenter les ions négatifs tout naturellement, tout en conservant la force vitale sous la forme de prana. Exemple : un cas type d'une eau municipale ... les ions positifs qui enregistrent 120+ à l'instrument passeront à moins 5 (-5), soit une différence de 125. Soit un gain important en ions négatifs ... (ainsi de suite, selon le type d'eau de base utilisée). Cela a pour effet de rendre les minéraux présents dans cette eau plus bio-assimilables.

Les ions négatifs alors se révèlent d'une plus grande importance que le pH pour assister le bien-être, tout en étant relié à un pH alcalin principalement.

Le Facteur pH ➔ En réalité, il ne peut exister un ion d'hydrogène (H), en tant que tel, sans qu'il y ait autre chose ... Dans une solution aqueuse, il est accroché à une autre molécule d'eau pour former H_3O+ ... c'est l'ion d'hydronium. Néanmoins dans le jargon scientifique, le terme hydronium est rarement utilisé ... étant référé à l'ion d'hydrogène (H+). Ceci porte à confusion, car l'ion d'hydronium est un acide, d'où la considération que tous les ions d'hydrogène sont acides par présomption.

Ce qui n'a pas été encore bien défini est que l'ion d'hydrogène, avec sa charge négative (H-), tend à favoriser une condition alcaline ... qui est la prépondérance à l'alcalinité.

Une substance peut être alcaline avec plus ou moins l'attribut de l'alcalinité ... et c'est l'alcalinité qui permet à une substance alcaline de conserver son alcalinité ... et c'est l'alcalinité qui a un rapport direct avec les ions d'hydrogène négatifs.

Et pour cause ! L'ion H- peut donner un électron à un radical libre sans pour autant devenir un radical libre, ce qui a pour effet de réduire le niveau d'oxydation à l'intérieur du corps physique. Le résultat final est un atome d'hydrogène ou H avec une charge neutre favorisant un corps alcalin au lieu d'un H+, qui favorise un composé acide.

L'échelle du pH est basée sur la valeur H3O+ ... sur une échelle inversée. D'où lorsqu'une concentration acide (H3O+) baisse, le pH augmente ... et à mesure que la condition acide augmente, le pH baisse. Un acide est défini comme donneur de proton ... un produit qui augmente la concentration des ions d'hydronium dans une solution. Une base alcaline est définie comme réceptrice d'un proton ... un produit qui réduit la concentration des ions d'hydronium dans une solution.

L'échelle du pH oscille entre 1 et 14 ... 7 étant le point central "neutre". Plus haut que 7, c'est une nature alcaline ... et inférieur à 7, c'est une nature acide. Quelle que soit la substance, il est facile d'en évaluer le pH avec un papier tournesol ou un pH-mètre. Nous aborderons l'importance d'un corps alcalin un peu plus loin.

La plupart des sources d'eau sont de nature alcaline du fait de la présence des minéraux. D'autre part, une eau super filtrée et déionisée sera d'une nature acide ... telle d'osmose inversée, distillée, etc.

Le Facteur TSD ➔ (TDS en anglais) Le total des solides dissous peut être mesuré à l'aide d'un petit instrument numérique portatif. Le TSD indique la teneur des minéraux dissous dans un liquide, l'eau, même dans les aliments. Avec tout ce qui se passe avec les eaux minérales ... est-ce vraiment le meilleur pour nous?

"Une eau déminéralisée n'est pas une bonne conductrice de l'électricité et les messages cellulaires ne seront pas effectivement transmis dans les fluides biologiques ... lorsque les minéraux sont absents."

Le TSD d'une eau déminéralisée se situe entre 0 et 20 ppm (en général) ... et c'est une eau acide avec un pH qui oscille entre 5.14 (absolu-déionisée) et 6.2. À partir d'un TSD de 70 ppm, le pH tend vers l'alcalinité.

Parmi des chercheurs, il y a confusion concernant le TSD (TDS) et l'influence de l'hydrogène donnant ses électrons.

Test No 1 Eau Alcaline	Test No 2 Ajoutant 15 ml de la solution pH 12 à un litre d'eau d'osmose inversée	
	Eau Os.In. Avant	Eau Os.In. Après
pH 12 ORP négatif 154 (–154) ±10 TSD au-dessus de l'échelle 4000 ppm	pH 5.7 ORP +60 TSD 17 ppm	pH 10.2 ORP négatif 2 (-2) TSD 317 ppm

Test No 1 ➜ indique une eau hautement alcaline avec un pH de 12 et un TSD au-dessus de l'échelle soit +3999 ... produisant une grande quantité d'ions d'hydrogène négatifs, donc un puissant anti-oxydant.

Test No 2 ➜ démontre bien l'augmentation du pH et du TSD d'une eau d'osmose inversée qui augmente le potentiel d'oxydo-réduction à un niveau très bénéfique pour le corps ... soit une plus grande quantité d'ions négatifs disponibles (H-).

Les électrons sont électriques de nature ... puis, étant donné que les minéraux sont conducteurs de l'électricité, affirmer que plus de minéraux réduit la quantité d'électrons disponibles n'est pas logique. Quiconque peut facilement vérifier nos tests avec les petits instruments portatifs pour mesurer les pH, TSD et ORP.

Nous devons considérer le fait que les minéraux ont aussi cette habileté à retenir le taux vibratoire ... autant pour l'eau telle quelle que pour les molécules d'eau dans les Vies "organ-isées" ... ceci grâce aux lignes / ondes de forme derrière la forme de chaque élément minéral qui agissent comme une antenne pour polariser **l'Ultra-Lumière** (lumière vivante) à travers les télomères, petits cônes à l'extrémité des chromosomes – qui sont les Bio-Photons (voir illustration Dessin Chromosomes, **page 29** ou en couleurs, **page 209**).

Le danger des réioniseurs ➜ Il existe une vaste gamme d'ioniseurs qui, par électrolyse, changent la valence électrique des molécules d'eau (distillée, d'osmose inversée) procurant des eaux hautement alcalines avec un pH sélectif de 8, 9, 10 . C'est une farce monumentale car cela crée une **photocopie du pH**. Oui, une photocopie du pH et n'apporte rien au corps Humain. Ce pH fictif désinforme le corps sur son processus alcalin, faussant la réalité des minéraux essentiels pour le corps. Une substance peut être alcaline avec plus ou moins l'attribut de l'alcalinité ... et c'est l'alcalinité qui permet à une substance alcaline de conserver son alcalinité. L'eau a besoin de minéraux tampons pour mériter son alcalinité et c'est directement lié aux ions d'hydrogène négatifs.

En plus de produire une photocopie du pH, ... ces réioniseurs produisent des ions négatifs (jusqu'à -200, -300 et plus) sans substance. Donc, pas de minéraux tangibles pour la vitalité et le bon fonctionnement du métabolisme humain et il est pratiquement impossible de maintenir le corps alcalin.

Voici un cas parmi des milliers venus me consulter.

Un professionnel dans la cinquantaine vient me rencontrer en août 2003; il se sent fatigué, léthargique, dépressif. Je vérifie sa Vitalité Générale qui est dans les 600 et son Potentiel Lumineux lui aussi dans les 600. Ses minéraux donnent un 4 sur 10. Je lui demande de me montrer ses ongles, qui sont minces comme du papier.

Je lui demande : « Quel type d'eau bois-tu ?
- Oh, me répond-il, j'ai le meilleur système d'eau qui soit : l'appareil Singer avec réioniseur.
- Depuis combien de temps bois-tu de cette eau ?
- Trois ans et demi !
- Ne réalises-tu pas que ton corps ne le prend pas ? Cette eau d'osmose inversée puis réionisée t'a vidé de tes minéraux et de ta Force Vitale. »

Un naturopathe spécialisé dans les médecines douces et plusieurs autres cas venus me consulter ne parvenaient pas après 1 an, 2 et même 3 ans à hausser le pH de leurs corps, oscillant entre 5.8 et 6.2. Pourtant bien informés sur les aliments alcalins, rien à faire tant qu'ils n'ont pas apporté des minéraux (tampons) au naturel et en équilibre à leurs diètes et cessé de boire de ces eaux dénaturées. (Même si parmi eux, certains avaient déboursé jusqu'à 3000$ pour leur appareil.) Puis, en moins de deux mois, utilisant notre « Sel Joyeux » et buvant une eau bien structurée, le pH grimpa près de la normale à 6.8, avec un regain d'énergie et de vitalité.

Un couple buvant de l'eau distillée depuis dix ans a vécu le même scénario :
- ongles striés, minces,
- énergétiquement faible,
- apathique,
- corps déminéralisé,
- manque de goût de vivre;
- et j'en passe, pour le potentiel des « mal-a-dit »...

Conclusion, avis aux intéressés : La santé commence avec l'eau et se réalise avec l'eau VIVANTE, minéralisée, au naturel ... donc structurée et chargée de particules de prana.

C'est l'alternative aux eaux dénaturées ... osmose inversée, déionisée, distillée, U.V., ozonée, etc. ... Plus économique et bénéfique, une eau bien structurée, conservant et/ou ajoutant plus d'énergie vitale et très bien filtrée, c'est possible. Nous aborderons le sujet un peu plus loin.

Très intéressant ➔ Le sperme de l'être humain a :

Un ORP autour de – 50 (ions négatifs d'hydrogène)
Un pH moyen 7.35 (tel le pH sanguin)
Un TSD +3999, au dessus de l'échelle

Déduction : puisque le sperme pour créer la Vie a des ions négatifs (-50) et un pH 7.35 avec TSD +3999, n'en serait-il pas de même pour entrenir la Vie et/ou la régénérer ? Le spermatozoïde est très lumineux sous le microscope, donc chargé de Bio-Photons ... les chromosomes d'un nouveau-né sont chargés de Bio-Photons. Un vieillard a très peu de Bio-Photons! Alors à qui imputer la Vie en Action, si ce n'est par la « **Lumière Vivante en action** » à travers les Bio-Photons. Il en est ainsi fait !

J'aimerais souligner ici que le zinc est un des minéraux essentiels. Il est présent dans plusieurs enzymes et assiste à structurer les cellules tout comme il est essentiel pour le bon fonctionnement de la prostate (et la fabrication du sperme) alors avis aux mâles de plus de 45 ans pour une prostate en santé.

J'ai vérifié ma salive à la mi-mai 2004, pour lire un ORP de –294. Pas surprenant puisque, dans ma diète, la gelée royale pure est au menu chaque jour avec graines de citrouille, œufs, etc. D'autres sources de zinc : les huîtres et coquillages, levure de bière, haricots.

En plus d'être un puissant anti-oxydant, le zinc neutralise l'excès de cuivre et le cadmium (dans la cigarette). Aussi, il assiste à la synthèse des protéines de l'ADN / ARN, il est un élément essentiel pour les organes de reproduction. Il fait partie de plus de 190 enzymes, assiste le pancréas pour un taux de sucre normalisé et la sécrétion de l'insuline – dirige le pouvoir de contraction musculaire - facilite la guérison des blessures, et plus.

Le zinc, se retrouve aussi sous forme micronisée dans le « Sel Joyeux », en concentration de .0190%.

Tableaux comparatifs de différents produits et des eaux

Depuis l'an 2000, j'ai effectué au-delà de 1500 analyses d'eau à travers le Canada, de la Colombie-Britannique jusqu'au Québec.

Ici, je vais m'en tenir aux valeurs de base,
- ORP : le potentiel d'oxydo-réduction
- TDS : la somme totale de minéraux dissous
- pH : le coefficient d'acidité ou d'alcalinité

Le potentiel d'oxydo-réduction indique le niveau des ions négatifs ou des ions positifs, selon le cas. Il est reconnu scientifiquement que les ions négatifs neutralisent les radicaux libres, qui sont présents chez les cancéreux et dans plusieurs autres "mal-a-dit".

Pour ce qui est des minéraux dissous, le minimum sain est de 100 ppm (parties par million) voire même jusqu'à 300 ppm, lorsqu'une eau est hautement structurée. Cela fait en sorte que ces minéraux deviennent davatange bioassimilables. Mes 7 années de recherche en agroalimentaire ont très bien démontré la bioassimilabilité des minéraux.

« Oui mais, Excelex, les plantes ne sont pas des humains! »

Certes, mais les deux ont leurs chromosomes qui absorbent ou pas les minéraux. Puis, une plante va même assimiler les minéraux et les nutriments en fonction du plus petit dénominateur commun, c'est-à-dire que, par exemple, lorsque le phosphore est très faible, la plante va ajuster les autres minéraux en fonction de la faible concentration du phosphore et ainsi de suite.

C'est pour cela qu'il est inutile de "forcer" une plante ou un organisme avec des doses massives de minéraux, s'ils ne sont pas en équilibre. Car ce dont une plante ou tout organisme a besoin, c'est le potentiel d'hydratation combiné aux minéraux et aux nutriments en équilibre.

Maintenant, passons aux tableaux comparatifs :

Le produit	ORP	TDS	pH
Citron (frais)	+120	+3999	2,18
Citron (vieux)	+158	+3999	2,58
Pamplemousse (frais)	+78	3358	3,02
Pamplemousse (vieux)	+95	2510	3,02
Clémentine (fraîche)	+64	3091	3,08
Clémentine (vieille)	+78	3676	3,62
Orange à jus	+38	3643	4,02
Kiwi (frais)	+75	1217	3,65
Kiwi (vieux)	+82	1165	3,18
Lait 3,25%	+22	+3999	6,79
Lait 3,25% (1 litre) ajoutant ¼ c. à thé "Sel Joyeux"	-10	+3999	7,7
Yogourt naturel (sans additifs)	+102	+3999	4,15
Ketchup Heinz	+156	+3999	3,56
Sauce tomate Classico	+142	+3999	4,12
Confiture Triple Fruits	+188	1060	3,22
Banane	+185	2755	5,12
Sirop d'érable	+133	277	6,74
Café noir	+110	1458	5,38
Café avec lait 3,25% ajoutant 4 gouttes d'"Harmony Love" et sirop d'érable	+58	2772	6,57

Le produit	ORP	TDS	pH
Fèves au lard Heinz	+32	+3999	5,31
Maïs en crème	+5	+3999	5,77
Concombre anglais	+133	3321	5,51
Bière d'épinette	+312	263	3,36
Blanc d'oeuf	+57	+3999	9,0
Jaune d'oeuf	+97	2769	6,24
Thé vert (selon l'eau utilisée)	+17	448	6,67
Carotte (de commerce)	+92	2376	6,34
Abricot	+191	1656	4,16
Sauce soya Kikoman	+118	+3999	4,51
Huile d'olive	+49	N/A	6,43
Huile de chanvre	+21	N/A	6,52
Crème de champignons	-10	+3999	6,11
Soupe poulet et nouilles Aylmer avec MSG	-24	+3999	5,9
Vin rouge commun	+158	915	3,19
Vin blanc commun	+171	803	3,04
Sangria	+164	533/635	3,1
Cooler Domingo (canneberges)	+183	418/467	2,83
Lait de soya So-Nice	+133	+3999	6,77
Eden Blena soya-riz	+30	2928	6,58
Cocktail fruits Dewlands	+130	2524	3,12
Jus de pomme Sans Nom	+94	2136	3,44
Bière Molson Export (bouteille)	+227	599/700	3,89
Bière Molson Export (cannette)	+198	560/707	3,85
Bière Budweiser (bouteille)	+158	578/614	4,2
Bière Budweiser (cannette)	+136	492/603	4,23
Bière Labbat 50 (bouteille)	+147	748/767	3,99
Bière Labbat 50 (cannette)	+149	668/678	4,02
Bière l'Alchimie Joliette	+187	884/942	4,52
Vodka Finlandia	+197	20	6,36
7-Up (bouteille)	+229	183/264	3,25
7-Up (cannette)	+227	160/251	3,29

Le produit	ORP	TDS	pH
Club Soda Kiri	+270	330/349	5,23
Pepsi (bouteille plastique)	+275	440/537	2,45
Pepsi (cannette)	+261	402/511	2,53
Coke 2 litres	+246	626/672	2,36

Nous allons passer aux différentes eaux, ajoutant ici que mes premières études ont démontré que lorsqu'une eau est chauffée de 55 °F à 110 °F, il y a une augmentation substantielle d'ions négatifs, voire de 50% à 80%.

Je n'ai pu compléter les tests ayant échappé l'instrument numérique dans l'échantillon d'eau chaude! (245$!!! Ouf...)

EAUX EMBOUTEILLÉES	ORP	TDS	pH
Kiri	+231	255	7,65
Sélection	+226	242	7,58
Aquafina	+283	6	6,53
Naya	+222	435	7,49
Vichy	+262	+3999	6,22
Montclair	+266	1400/2200	5,55
Perrier	+284	400/753	5,27
Amaro	+193	252	7,46
Evian	+202	260	7,48
Oasis	+199	124	7,67
EAUX MUNICIPALES			
En général	+130/250	100/350	6,2/8,2
Ste-Julienne, Qc 2004/04/19	+150	245	8,17
AUTRES EAUX			
Puits artésien, Ste-Béatrix	+108	145	7,01
Eau de pluie, St-Ambroise 07/03	+220	15	6,31

Maintenant, quels sont les meilleurs produits et les meilleures eaux? Tenant compte des 3 paramètres (ORP, TDS et pH)

- en ORP, la plus basse lecture est la meilleure.
- en TDS, le produit selon les différents minéraux tampons présents. Attention au MSG qui fausse la lecture jusqu'à lire +3999. Tous les pétillants font osciller les lectures. Une eau de qualité indique entre 100 et 300 ppm.
- le pH idéal se situe entre 6,8 et 7,2 pour le corps humain. Une eau de qualité devrait avoir un pH entre 7 et 8.

Il y a deux meilleures eaux embouteillées qui se démarquent dans le groupe:

	AMARO	OASIS
ORP	+193	+199
TDS	245	124
pH	7,46	7,67

Viennent ensuite les marques Sélection, Naya et Kiri.

L'eau d'un puits artésien, à Ste-Béatrix, utilisant notre système double filtration et Hexahédron 999 tient une bonne première place, avec un ORP de +108, un TDS de 145 et un pH de 7,01.

Donc, avec un bon système de filtration comprenant un filtre à sédiment 5 microns et un filtre KDF®55 montés sur notre appareil Hexahédron 999 donnera une excellente qualité d'eau structurée pour toutes les eaux potables et conformes aux normes de potabilité. Le cas échéant, un système de filtration d'appoint combiné à notre Hexahédron 999 vous fournira de l'eau structurée, saine et vivante, à même le robinet.

Observations ... pour moi les eaux que j'évite sont :

- Aquafina ORP très élevé et déminéralisée
- Perrier ORP très élevé et pH acide
- Vichy ORP très élevé et minéraux en excès
- Montclair ORP très élevé et pH acide

Pour les boissons gazeuses, regardez leurs pH 2,36 à 3,29 très acides donc à éviter ou pensez modération. Ah oui, et leurs ORP sont très élevés.

Le fait d'ajouter une pincée ou deux de notre sel alcalin "Sel Joyeux" soit dans un verre d'eau, tisane ou café ainsi que sur les aliments permet de hausser les ions négatifs de 30 à 70%, de hausser le pH avec plus d'alcalinité, grâce aux minéraux tampons..

En ce qui a trait à l'étude de ces divers produits, notre but est de vous sensibiliser à propos de votre alimentation et des différents breuvages.

Maintenant regardons différents sels et leurs effets sur le pH et l'ORP. Dernièrement le Sel Rose Himalaya est devenu populaire dans les magazines d'aliments naturels. Toutefois à la lumière de nos recherches nous avons démontré comme vous pouvez le voir au prochain tableau, le Sel Marin Naturel (Paludier ou Celtic) consiste en un bien meilleur choix pour vos besoins quotidiens en sels minéraux ... puis le sel alcalin "Sel Joyeux" (Happy Mood) vient en tête de liste pour bien alcaliniser grâce à ses minéraux tampons et son potentiel d'oxydo-réduction (ORP).

Test no 1 ➜ Pour chaque échantillon de sel nous avons utilisé 225 ml d'une eau dont au départ le pH était de 7.01 et son ORP de +156. Ensuite nous ajoutons une quantité de sel vérifiant les changements du pH et de l'ORP.

Quantité de sel ajouté à 225 ml d'eau	Sel Marin non-raffiné (Paludier)		Sel Rose Himalaya		Sel Joyeux Alcalin (Happy Mood)	
	pH	ORP	pH	ORP	pH	ORP
½ gramme	8.22	154	6.01	160	9.15	123
1 gramme	8.75	142	6.08	161	10.10	104
2 grammes	9.2	131	6.1	164	10.40	77
3 grammes	9.58	118	6.14	167	10.48	62
5 grammes	9.8	105	6.15	175	10.56	55
8 grammes	9.88	84	6.15	182	10.58	51
La saturation est atteinte à 8 grammes						

Observations:

Le Sel Marin Non-Raffiné ➔ aussitôt avec une petite quantité ajoutée le pH devient plus alcalin augmentant de 1.21 soit avec ½ gramme de sel puis, graduellement le pH augmente jusqu'à 9.88 (augmentation de 2.87) à son point de saturation avec 8 grammes de sel ajouté. À noter l'ORP descend de 156 à 84 soit une hausse d'ions négatifs de 62 points.

Le Sel Rose Himalaya ➔ notez qu'aussitôt le pH baisse (devenant acide) d'un point avec l'ajout de ½ gramme de sel pour finalement atteindre un pH de 6.15 à son point de saturation avec 8 grammes de sel ajouté. À noter au même moment l'ORP augmente donc devenant un oxydant et dégénéro-actif (ceci indique que ce sel manque de minéraux tampons) avec une augmentation de +34 points passant de 156 à 182 (ions positifs).

Le "Sel Joyeux" Alcalin ➔ notez l'augmentation substancielle du pH (devenant plus alcalin) de 2.14 avec seulement ½ gramme de sel ajouté, pour atteindre un pH de 10.58 à sa saturation avec 8 grammes de sel ajouté. Remarquez l'ORP au même moment descend, passant de 156 à 51 soit une augmentation d'ions négatifs de 105 points, démontrant le grand potentiel d'oxydo-réduction du "Sel Joyeux".

Il m'est tout juste venu l'idée de vérifier le sel de table blanc ajoutant ½ gramme de sel dans 225 ml d'eau qui a un pH de 7.01 et un ORP de +156. J'obtiens un pH de 6.72 avec un ORP de 167 ensuite j'ajoute 7 ½ grammes (total 8 grammes) le pH baisse à 6.56 et l'ORP augmente à +217. Très interressant comme résultat qui indique que le Sel Rose de l'Himalaya a les mêmes caractéristiques que le sel de table blanc à savoir, même plus oxydant que le sel de table.

Nous avons procédé à un autre test, selon le mode d'emploi du Sel Himalaya d'une solution saline après 36 et 48 heures.

Test no 2 → Ajoutant deux morceaux de Sel Rose de l'Himalaya dans 400 ml d'eau

Sel Rose de l'Himalaya	pH	ORP
Eau du départ sans sel	7.01	156
Après 36 heures	6.58	244
Après 48 heures	5.91	279

À mon grand étonnement le fait d'ajouter de ce sel rose à de l'eau abaisse le pH (devenant acide) et augmente l'ORP (ions positifs).

Nous avons demandé à M. Ron Garner (M.Sc.) d'effectuer le même test avec le Sel Rose de l'Himalaya. Il arriva à la même conclusion qui est : "ce sel est un oxydant"!

Maintenant regardons la composition des différents sels :

En % pour toutes les lectures	Sodium	Chlorure	Total S/C
Sel blanc iodé de table	39.0%	59.0%	98.0%
Sel Himalaya	37.4%	59.8%	97.2%
Sel Non-Raffiné (Paludier)	33.0%	50.9%	83.9%
"Sel Joyeux" Alcalin	35.3%	44.7%	80.0%

- Le sel Himalaya avec son 97.2% de chlorure de sodium ne laisse peu de place (2.8%) pour les autres minéraux (même pour le sel blanc).
- Le Sel Non-Raffiné (Paludier) avec son 83.9% de chlorure de sodium offre 16.1% pour les autres minéraux.
- Le "Sel Joyeux" Alcalin avec son 80% de chlorure de sodium offre 20% pour les autres minéraux.

S.V.P. bien noter que ces deux premiers sels avec un haut taux de chlorure de sodium peuvent retenir l'eau dans les cellules. Alors que les deux autres ne retiennent pas ou très peu l'eau dans les cellules (avis aux médecins).

Voici des précisions ➜ Lorsque des produits nous présentent une liste imposante d'analyse autant pour les minéraux que les vitamines ne vous laissez pas leurrer ... comment cela? Eh bien lorsqu'une analyse complète en laboratoire est présentée, sachez bien que chaque instrument a sa **"Limite de détection"** alors même si un élément n'a pas été détecté par l'instrumentation, le nom de l'élément apparaît, laissant présager sa présence : "de la poudre aux yeux". Ainsi lorsque vous lisez le symbole "< " cela indique que la présence de l'élément n'a pas été détectée étant inférieure à la limite de détection minimum de l'instrumentation. Ainsi pour plus d'exactitude lors de la lecture d'un rapport d'analyse il est sage de retirer toutes les lectures des éléments inférieures à la limite de détection "< ". Ainsi sur le site Internet, à propos du sel Himalaya, le rapport d'analyse indique 37 minéraux inférieurs à la limite de détection – d'où ils sont absents ou en faibles traces.

À notre avis et expérience, nous recommandons pour le meilleur usage de vos "dollars/labeurs" dans l'investissement des sels Paludier ou Celtic ou simplement un sel marin naturel provenant d'un océan vivant plutôt que d'une mer morte ou d'une montagne éloignée à couleur féminine! Puis le "Sel Joyeux" Alcalin (1/3 c. à thé par jour) vient en tête de liste pour bien alcaliniser grâce à ses minéraux tampons et son potentiel d'oxydo-réduction (ORP).

Pas besoin de nous croire, faites-en vous-même les tests! Pour moins de 1000$ vous pouvez vous procurer des instruments numériques de "Hanna Instruments" sur le site web.

En terminant le corps humain comme tous les "organ-ismes" vivants a besoin de tous les minéraux en équilibre afin de maximiser son potentiel en Bio-Photons ou en énergies vitales. Les minéraux font donc partie de la première "Triade de Santé". Il en est ainsi fait.

Les instruments utilisés pour les analyses: Instruments numériques portatifs Hanna, calibrés aux 4 heures.

Lorsque la lecture du TDS donne +3999, c'est le maximum de l'échelle.

- Tolérance pour l'ORP = ± 0,15
- Tolérance pour le TDS = ± 1%
- Tolérance pour le pH = ± 1%

En terminant, à la lumière de la lecture ORP du sperme humain, qui est de −50, cela indique bien l'importance des ions négatifs pour la vie.

Il y a place pour des études plus poussées concernant mes recherches sur l'influence de l'ORP et aussi la teneur en biophotons de nos aliments et breuvages, qui ont une influence directe sur notre régénérescence cellulaire, donc notre santé.

Car, faut-il le rappeler, « le corps devient ce qu'on lui donne ».

Le lien d'hydrogène et l'eau hexagonale →

La raison que les gouttelettes d'eau forment comme des perles, plutôt que de s'étendre uniformément sur une surface est due au fait que les molécules d'eau forment entre elles de forts liens d'hydrogène (hydrogen bond). Ceci signifie que les molécules d'eau ont une plus forte attraction entre elles que toute autre substance. Ainsi est créé ce qui est reconnu comme un haut degré de la tension de surface et permet à l'eau de monter facilement à l'intérieur d'un tube capillaire (la capilarité). D'où cette plus grande habilité pour l'eau de bouger à l'intérieur des plantes, des sols et dans les espaces interstitiels du corps humain.

La chaleur spécifique ou la grande capacité de l'eau à emmaganiser l'énergie est beaucoup plus grande pour une eau hautement structurée de par la forme de l'hexagone que par la forme du pentagone et/ou encore de beaucoup plus supérieure lorsque comparée à une eau non structurée (ex.: osmosée ou distillée).

Donc, plus la tension de surface est élevée pour une eau plus elle est chargée énergétiquement et plus elle est mobile à l'intérieur des organismes vivants; transportant plus facilement les autres éléments nutritifs et évacuant plus facilement les déchets.

Voyons maintenant le rapport de quelques-unes de nos analyses d'un laboratoire indépendant.

Analyses au laboratoire de Général Electrique Canada à Montréal	Dynes Avant	Dynes Après
Mini-Hexahédron 999 pour le Boyau d'Arrosage	59.0 ➔	70.9
Hexahédron 999 pour toute la Maison avec KDF	56.3 ➔	61.5
Sel Alcalin "Joyeux" (1 gramme dans 250 ml d'eau)	59.0 ➔	66.4
Sel Paludier (1 gramme dans 250 ml d'eau)	59.0 ➔	56.7
Sel Rose de l'Himalaya (1 gramme dans 250 ml d'eau)	59.0 ➔	56.7

Nous avons commandé une série d'analyses au laboratoire de Général Electrique Canada à Montréal afin de vérifier la tension de surface de différents échantillons d'eau. Ces analyses confirment l'augmentation substantielle de la tension de surface générée par l'Hexahédron 999 et nos autres produits. Exemple: le Mini-Hexahédron 999 pour le boyau d'arrosage, la tension de surface augmente passant de 59.0 à 70.9 dynes, soit une hausse de 20.2%. Pour l'unité toute maison avec filtre KDF®GAC et l'Hexahédron 999, même après que l'eau a véhiculé dans la tuyauterie jusqu'au robinet de cuisine, les dynes ont passé de 56.3 à 61.5, soit une hausse de 10%.

Maintenant regardons l'effet de notre Sel Alcalin "Joyeux" utilisant un gramme dans 250 ml d'une eau municipale avec chlore ... les dynes ont passé de 59 à 66.4, soit une hausse de près de 10%. Alors que pour le sel Paludier et le sel Rose de l'Himalaya les dynes ont baissé passant de 59 à 56.7 pour ces deux sels, soit une baisse de 4%. À noter que ces écarts sont pour un seul gramme de sel dans chacun des cas.

En résumé toutes ces analyses viennent confirmer que l'Hexahédron 999 et nos autres produits révèlent une hausse appréciable du lien d'hydrogène dans l'eau.

Considérant le haut degré de la tension de surface qui augmente l'effet de capilarité avec l'augmentation de la Vitalité Générale et du Potentiel Lumineux (Bio-Photons), voilà trois bonnes raisons qui viennent justifier une meilleure hydration des organismes vivants incluant le corps humain. (Voir les photos de nos jardinages à la fin de livre).

(Copies des analyses vérifiables à notre bureau de St-Ambroise).

Vérifions les différentes sortes d'eau

Il y a toute une gamme de sortes d'eau disponibles en passant par :

* les eaux de source fraîches,
* les eaux minérales naturelles,
* les eaux Flanigan, Penta, Prill, etc.
* les eaux embouteillées :
  - de source,
  - suite à divers procédés de filtration dans les distributrices,
  - de puits artésiens, parfois qualifiée d'eau de source, distorsion de la vérité !
  - distillée,
  - déionisées,
  - ré-ionisées,
* les eaux soumises aux aimants et électro-aimants,
* les eaux de municipalités qui varient selon leurs points d'eau et traitements,
* l'eau Diamant,
* les eaux restructurées avec cristaux et lignes de forme.

Comment les évaluer ? →

1. Les eaux magnétisées par le Magnétisme de l'Amour remportent la palme.

2. Les eaux proprement filtrées avec des éléments naturels et restructurées à l'aide de cristaux et de lignes de forme viennent en deuxième;

3. Les eaux de ruisseaux (propres) et de sources propres, ainsi que l'eau Diamant viennent en troisième position;

4. Suite à plus de 1500 analyses d'eaux à travers le Canada, les eaux de municipalités, dans au moins 80 % des cas, sont plus vivantes que la majorité des eaux embouteillées, bonnes quatrièmes.

Pourquoi ? Parce que la Vitalité Générale et le Potentiel Lumineux se dégradent selon :
- sa source ou point d'eau;
- la pression utilisée lors de l'embouteillage;
- la longueur de la tuyauterie;
- les produits chimiques ajoutés;
- leur teneur en minéraux;
- le temps de transport et de tablette.

Certes potables selon les Normes Canadiennes de Potabilité 2001 (voir **pages 104 et 105**) qui ne tiennent pas compte de la Vitalité Générale, du Potentiel Lumineux et de l'énergie Pranique, ni des ions négatifs.

Lorsque les 80 % et plus de ces eaux municipales sont bien filtrées soit :

a) À l'aide d'un filtre à sédiments 5 microns, partout disponible;

b) KDF 55® par oxydo-réduction pour une eau mieux filtrée que l'osmose inversée tout en conservant 90 % de la Force Vitale. (voir tableau comparatif des filtres d'eau **page 106**) KDF 55® procédé breveté provenant des É.-U. Si restructurées adéquatement, ces eaux municipales peuvent alors se classer bonnes deuxièmes, selon nos expériences;

c) Aussi disponible, le filtre au charbon activé 20 microns;

d) Le bloc de carbone 0,5 micron pour les bactéries;

e) L'alumine activée pour le fluor.

Cela procure des eaux municipales vivantes et accessibles à presque tous les budgets.

Tous ces systèmes de filtration et de restructuration, ne requérant aucune énergie électrique extérieure et/ou aimants pour leur bon fonctionnement, sont à la portée de tous. Une fois bien filtrée, il ne reste plus qu'à restructurer ou à dynamiser l'eau.

Si je n'avais pas réussi à précipiter la Force Vitale dans les eaux et aliments, j'aurais, comme beaucoup de gens, opté pour des eaux soi-disant "PURES", super filtrées et nous n'aurions pas cette vitalité et ce Potentiel Lumineux dans nos corps, mon épouse et moi.

5. Les eaux embouteillées, viennent en cinquième sur la liste. Là encore, il y a de nombreux choix, provenant :

- d'un puits,
- d'une source au naturel,
- de municipalités, selon différentes sources,
- procédé de filtration

6. Les super filtrées, d'osmoses inversées, déionisées, distillées, traitées aux U.V., ozonées, sont mon sixième choix.

À noter que les minéraux sont porteurs de la force Pranique. Lorsqu'on enlève les minéraux et les polluants, cela procure une eau avec un pH acide, telle que :

- eau absolument déionisée, pH = 5,14,
- eau d'osmose inversée. En général son pH est de 5,3 à 5,6,
- eau distillée avec un pH variant de 5,6 à 6,2 selon la source d'eau et du procédé utilisé.

7. Les eaux adoucies avec le sel de magnésium se classent au septième rang, avec une haute teneur en magnésium, sont non potables et non adéquates pour s'y baigner.

Pourquoi ?

Le corps, en baignant plus de 20 minutes dans l'eau, peut absorber jusqu'à un litre d'eau par osmose cutanée faisant en sorte qu'il absorbe une surdose de magnésium qui vient éventuellement créer un débalancement calcium/magnésium et aussi pouvant développer une "réaction" au sel de l'adoucisseur.

Plusieurs ont enlevé leur adoucisseur à sel pour installer notre système Hexahédron 999 avec émerveillement, faisant d'une eau dure, une **eau douce rendant les minéraux plus bio-assimilables pour une eau plus hydratante sans l'addition de sel.**

« Ouais, Excelex, tu prêches pour ta paroisse ! »

Qu'est-ce que tu veux que je te dise ? Les preuves sont dans l'eau !

"Mon affaire est à l'eau", quoi!

L'Humanité a besoin d'eau structurée. Si tu connais des systèmes pouvant bien structurer l'eau, fais-nous-en part et, nous partagerons l'information dans notre prochaine édition.

Notre objectif est de hausser le taux vibratoire de l'ordre inférieur des concepts. Nous aurions pu tout aussi bien rester tranquille avec la Nature et garder cette découverte pour nous et nos jardins ! Démarrer une entreprise après 15 ans comme retraité, entre nous, il faut le faire!

Eau Structurée ➜ Voici une liste de sources d'eau structurée vivante, sans s'y limiter. Quitte à me répéter :

* **Premièrement** ➜ Eau induite du magnétisme de l'Amour — C'est le "top". En moins de 30 secondes, elle devient douce et vibrante ... « c'est gratuit »;

- **Deuxièmement** → Eau passant par différents systèmes de revitalisation, utilisant un ou plusieurs cristaux qui sont programmés idéalement par le Magnétisme de l'Amour.

On peut ainsi produire un système d'eau à fort potentiel de Vitalité de Lumière (Bio-Photons) qui peut s'ajuster vibratoirement aux changements de la grille énergétique terrestre d'où, plus le taux vibratoire terrestre augmente, plus le système va s'ajuster et rayonner à l'augmentation de la Force Vitale terrestre.

Les eaux restructurées et dynamisées par des appareils utilisant un ou des cristaux combinés à des vortex énergétiques, tels que :

✹ l'Hexahédron 999 (voir à la fin du livre) :
  - Niveau de structure organisée de 5 à 8/10;
  - Vitalité Générale de 7000 à 85 000 (selon le modèle);
  - Potentiel Lumineux de 7100 à 85 500 (selon le modèle);
✹ Opal Essense de Vancouver, Colombie-Britannique :
  - Niveau de structure organisée de 3 à 5/10;
  - Vitalité Générale de 3000 à 5000;
  - Potentiel Lumineux de 3100 à 5100.
✹ L'appareil Grander d'Europe :
  - Niveau de structure organisée de 2 à 4/10;
  - Vitalité Générale de 2600 à 4000;
  - Potentiel Lumineux de 2700 à 4100.

Si vous connaissez d'autres appareils pouvant structurer l'eau et la dynamiser sans l'utilisation d'aimants et/ou électro-aimants, je me ferai un plaisir de les évaluer et de les mentionner dans un addendum lors de la prochaine édition.

Dans l'équité de la Vie et l'abondance de la Vie, il n'y a pas de compétition entre les enfants de l'Un. Avec sept milliards d'êtres Humains sur cette station Terre, il y a du potentiel pour tous !

- **Troisièmement** → Eau naturelle de …
  - certaines eaux de source propre, naturelle;
  - certaines eaux de ruisseaux et de lacs propres, bien entendu;
  - certains puits artésiens (propres);
  - certains puits de surface (propres);
  - eau diamantée.

L'eau Diamant apporte un plus pour l'Humanité avec :

Niveau de structure 4/10
Vitalité Générale de 6700 (décroissant)
Potentiel Lumineux de 6900 (décroissant)

Il est sage de rafraîchir la dose originale aux trois (3) mois environ, car elle peut perdre de son énergie vitale avec le temps et le volume d'eau utilisée.

Toutes ces eaux peuvent porter un certain niveau de structure plus ou moins organisée selon leurs contacts avec la végétation et leurs encodages, leurs concentrations équilibrées en minéraux, ainsi que selon la profondeur des puits car, plus un puits est profond, moins il y a de Vitalité Générale et Potentiel Lumineux, donc moins de Particules Adamantines et moins de structure organisée.

Prenez garde → Durant la dernière semaine de septembre 2003, à Saint-Ambroise, province de Québec, à 10 km de Joliette, j'ai pris un échantillon d'eau de pluie suite à une nuit de pluie. Donc, l'air aurait dû être "propre" !

Le pH = 5,95
Oxydo-réduction = +191
Solides dissous (TSD) = 90
Vitalité Générale = 185
Potentiel Lumineux = 160
avec faible concentration de particules de Prana.

À noter que le pH d'un café noir est de 5,5. Donc, les eaux de pluie ne sont plus ce qu'elles étaient et peuvent varier de beaucoup.

En résumé ➔ Une eau a besoin d'être la plus structurée et la plus vivante possible et le principal moyen est d'appliquer le **Magnétisme de l'Amour**. Alors, vous n'aurez plus besoin de notre appareil Hexahédron 999, ni d'un quelconque appareil, car l'activation de votre **Cœur Sacré**, c'est le siège de l'Amour Universel. À prendre ou à laisser; c'est votre choix.

Chaque fois que vous utilisez le <u>Magnétisme de l'Amour</u> induit à vos breuvages et aliments, quels qu'ils soient, vous haussez leurs taux vibratoires et votre corps s'en nourrit et se portera mieux. Puis c'est gratuit, pas de TPS ni TVQ !

Buvez de l'eau la plus structurée possible et informez-vous sur :

- ✓ son origine;
- ✓ son embouteillage;
- ✓ sa filtration;
- ✓ sa dynamisation;
- ✓ sa <u>Vitalité Générale</u>;
- ✓ son <u>Potentiel Lumineux</u>;
- ✓ ses <u>Bio-Photons en u/sec/cm^2</u>;
- ✓ <u>son pH</u>;
- ✓ <u>ses minéraux - au moins 100 ppm</u> (minéraux en équilibre);
- ✓ <u>son potentiel d'oxydo-réduction ou ions négatifs.</u>

Les soulignés indiquent les grandes priorités.

Il est donc impératif de hausser chacun notre taux vibratoire, de fortifier notre système immunitaire, de fortifier notre système respiratoire et de se brancher avec la Source de tout-ce-qui-Est. Ainsi soit-il.

Pour ceux qui ont investi beaucoup dans un système d'eau, tel que :
- osmose inversée,
- distillée,
- U.V., ozonée,
- aimantée suite à l'osmose inversée,
- déionisée,
- ré-ionisée

Quoi faire ?

Premièrement : Appliquer le Magnétisme de l'Amour à votre eau. C'est gratuit !

Deuxième solution : ajoutez une pincée de notre "Sel Joyeux" par verre d'eau. Ce sel est hautement alcalin et contient les 80 minéraux et éléments-traces de la Terre et de la Mer, ou encore du lithothamnium, algue marine. (Voir à la fin du livre).

Troisième solution : nous offrons une gamme de modèles Hexahédron 999 pour tous les besoins en eau hautement structurée (Voir à la fin du livre).

Quatrième solution : si vous avez une eau trop alcaline, mélangez 40/60% ou 50/50% ou 60/40% de cette eau à votre eau déminéralisée. Vous bénéficierez ainsi du meilleur des deux mondes.

Visitez notre site Internet au
www.*wateralive.excelexgold.com* pour voir la galerie de photos.
C'est en anglais, mais les photos sont multilingues !

Tableau pour l'Évaluation de l'Eau

Types d'eau :	Les paramètres de base influençant une eau structurée ou pas, chargée de force Pranique ou pas, sont :
✦ des municipalités, ✦ des puits artésiens, ✦ des puits de surface, ✦ des ruisseaux, ✦ des lacs, ✦ à osmose inversée, ✦ filtrée en 7 et 9 étapes, ✦ distillée, ✦ déionisée absolue = pH 5,14, ✦ ozonée, ✦ réionisée par électrolyse, ✦ chauffée au micro-ondes, ✦ revitalisée et restructurée,	✦ sa source, ✦ son environnement, ✦ son procédé d'embouteillage soumis ou non à des F.E.M. et/ou irradiations, ✦ la pression utilisée dans la tuyauterie ✦ la longueur de la tuyauterie d'alimentation, ✦ sa filtration, ✦ sa transformation, ✦ la présence des minéraux naturels en équilibre (TDS) ou peu ou pas, ✦ les polluants restants, ✦ les préservatifs ajoutés, ✦ son pH, ✦ son potentiel d'oxydo-réduction (ORP)

Et, Dieu merci, il y a toute une différence pour ces eaux, à savoir :

✦ la concentration de prana (manne),

✦ la nature finale du prana (manne),

✦ le taux vibratoire et Vitalité Générale,

✦ le Potentiel de Lumière,

✦ la concentration de Bio-Photons en u/sec/cm^2,

✦ le pH alcalin ou acide,

✦ les ions positifs ou négatifs (ORP),

✦ la somme totale des solides dissous (TSD).

Ces paramètres vont déterminer la vraie qualité d'une eau structurée VIVANTE et le niveau de son organisation de Structure ...

a) son Potentiel Lumineux, unité Bio-Photon/sec/cm^2,
b) sa Vitalité Générale,
c) la qualité et la quantité de particules Adamantines.

Merci à DIEU AMOUR, POUR TOUS TES CAS-D'EAUX.

Normes Canadiennes de Potabilité de l'Eau
1996 – 2001

Parameter (Paramètre)	MAC (mg/L)	IMAC (mg/L)	AO (mg/L)
Metals Extractable (Trace)			
Aluminum (Aluminium)	0.1		
Arsenic	0.025		
Barium (Baryum)	1.0		
Cadmium	0.005		
Chromium	0.05		
Copper (Cuivre)			≤1.0
Lead (Plomb)	0.010		
Uranium		0.02	
Zinc			≤ 5.0
Analyse Microbiologique			
Total Coliforms (Coliformes Totaux)			1-10
Eschericia coli			< 1
Heterotrophic Count			500
Aerobic			
Propriété Agrégats Physiques			
Turbidity (Turbidité)			≤ 5 NTU
Colour (Couleur)			≤ 15 TCU [4]
Eau Routine			
pH			6.5 – 8.5
Sodium			≤ 200
Chloride (Chlorure)			≤ 250
Nitrate – N			10
Nitrite – N			1
Fluoride (Fluorure)	1.5		
Sulphate			≤ 500
TSD (TDS Minéraux dissous)			≤ 500
Iron (Fer)			≤ 0.3

MAC - Maximum Acceptable Concentrations IMAC - Interim Maximum Acceptable Concentrations AO - Aesthetic Objectives

Afin de rencontrer les normes Canadiennes en potabilité, l'analyse d'une eau a besoin de rencontrer la valeur attribuée à chaque élément ... le tableau se poursuit en **page 105**, mais ce tableau n'est pas impératif.

Normes Canadiennes de Potablité 2001

Other Parameter	MAC (mg/L)	IMAC (mg/L)	AO (mg/L)
aldicarb	0.009		
aldrin + dieldrin	0.0007		
atrimony		0.006 [2]	
Atrazine + metabolites		0.005	
Azinphos-methyl	0.02		
bendiocarb	0.04		
benzene	0.005		
Benzo(a)pyrene	0.00001		
boron		5	
bromate		0.01	
bromoxynil		0.005	
carbaryl	0.09		
carbofuran	0.09		
Carbon tetrachloride	0.005		
Chloramines (total)	3.0		
chlorpyrifos	0.09		
cyanazine		0.01	
cyanide	0.2		
Cyanobacterial toxins (as microcystin LR)	0.0015		
glyphosate		0.28	
malathion	0.19		
manganese			≤0.05
mercury	0.001		
methoxychlor	0.9		
metolachlor		0.05	
metribuzin	0.08		
monochlorobenzene	0.08		
Nitrate 7	45		
Nitrilotriacetic acid (NTA)	0.4		
odour			inoffensive
parathion	0.05		
pentachlorophenol	0.06		
phorate	0.002		
picloram		0.19	
simazine		0.01	
Sulphide (as H_2S)			≤ 0.05
taste			inoffensive
terbufos		0.001	
Tetraclorophenol, 2,3,4,6	0.1		
toluene			≤ 0.024
trichloroethylene	0.05		
Trichlorophenol, 2,4,6	0.005		
trifluralin		0.045	
Trihalomethanes (total) 12		0.1	
Uranium		0.02	
Vinyl chloride	0.002		
Xylenes (total)			≤ 0.3

General Comparative Table of Filtered Water
Tableau Comparatif Général de Filtration d'Eau

Legend:
● = Effectively Removes ~ Très Efficace
O = Significantly Reduces ~ Peu Efficace

Filter	A KDF & Carbon / KDF & Charbon Activé	B 100% Carbon Filters / 100% Charbon Activé	C Distillation	D Reverse Osmosis / Osmose Inversée	E .5 micron Carbon block / Charbon Activé .5 micron
Life-Force Maintained ~ Force Vitale Maintenue	YES / Oui	YES / Oui	NO / Non	NO / Non	60%
TASTE ~ GOÛT	●	●	●		●
ODOR ~ ODEUR	●	●		●	●
ARSENIC	●	O	●	●	
ALUMINIUM ~ ALUMINIUM	●		●	●	
BACTERIA ~ BACTÉRIE	●		●	●	
BARIUM	●		●	●	
CADMIUM	●		●	●	
CHLORINE ~ CHLORE	●	●	●	●	●
CHROMIUM VI ~ CHROME VII	●		●	●	
CHROMIUM III ~ CHROME III	●		●	●	● Crypto
ENDRIN	●	O		O	
FLUORIDE ~ FLUOR			●	●	● Giardia
HYDROGEN SULFIDE ~ SULFITE HYDROGÈNE	●		●		
IRON ~ FER	●		●	●	
LEAD ~ PLOMB	●		●	●	●
LINDANE	O	O	O	O	
MERCURY ~ MERCURE	●		●	●	
METHOXYCHLOR	●	O	●	O	
NITRATE (AS N)			●	●	
RADON	●	●			
SELENIUM ~ SÉLÉNIUM	●		●	●	
SIVEX 2,4,5 - TP	●	O	●	O	
TOXAPHENE	●	O	●	O	
2,4-D	●	O	●	O	
THM'S	●	●	●	●	
ZINC	●			●	
COPPER ~ CUIVRE	●			●	

A 5 micron sediment filter placed before the other filters extends the life span of A- B- E and maintains the Life Force in the water

Un filtre 5 micron placé avant les autres filtres prolonge A- B- E leurs durées et la force vital est maintenue dans l'eau.

Hexahédron 999™ avec KDF® – Système de Filtres DUO	Osmose Inversée	Eau Distillée
Force Vitale conservée et AMPLIFIÉE	Enlève la Force Vitale ce qui donne une eau morte	Enlève la Force Vitale ce qui donne une eau morte
Pour une Eau Structurée	Aucune Structure dans l'Eau	Aucune Structure dans l'Eau
Vitalité Générale & Lumière (Bio-Photons) conservée et AMPLIFIÉE	Enlève la Vitalité Générale & la Lumière (Bio-Photons) dans l'Eau	Enlève la Vitalité Générale & la Lumière (Bio-Photons) dans l'Eau
Maintient l'Alcalinité de l'eau	Enlève tous les minéraux et procure une eau Acide avec un pH moyen de 5.5 NOTE: Lorsqu'un ioniseur est utilisé pour augmenter artificiellement le pH cela donne une photo-copie du pH... et n'apporte rien de valeur pour le corps – les minéraux demeurent en manque.	Enlève tous les minéraux et procure une eau Acide avec un pH moyen de 5.8
NOTE: Même une eau dure se comporte comme une eau douce sans l'aide d'un adoucisseur.		
Ne requiert aucune énergie extérieure pour son fonctionnement. Système auto énergisant	Requiert une source d'Énergie – électricité	Requiert une source D'Énergie – flamme ou électricité
Filtreur KDF® 55 & GAC Principaux Avantages sur Osmose Inversée et Distillée:	Osmose Inversée	Eau Distillée
Enlève mauvais Goût	Pas toujours le cas	Pas toujours le cas
Enlève les mauvaises odeurs	Pas toujours le cas	NON
Enlève Endrin	Peu Efficace	NON
Enlève les Sulfites d'Hydrogène	NON	OUI
Enlève les Méthoxychlor	Peu Efficace	OUI
Enlève Radon	NON	NON
Enlève Sivex 2,4,5, - TP	Peu Efficace	OUI
Enlève Toxaphène	Peu Efficace	OUI
Enlève 2,4-D	Peu Efficace	OUI
Enlève Zinc	OUI	NON
Enlève Cuivre	OUI	NON
les Nitrates (as N) - NON	Enlève les Nitrates (as N)	Enlève les Nitrates (as N)
Rend 70% du Fluor Inoffensif	Enlève le Fluor	Enlève le Fluor

Excelex ~ Technologies Essence de Vie

Hexahédron 999™ avec KDF® – Système de Filtres DUO Procèdent par 3 Étapes

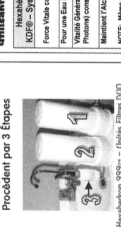

Hexabedron 999™ – Unités Filtres DUO
Unité Sur le Comptoir ou Sous le Comptoir
(disponible aussi pour Unité Résidentiel)

Étape 1 ... Enlève les sédiments de 5 microns et plus ... ce qui aussi protège le 2ième filtre KDF® et prolonge sa durée de vie.

Étape 2 ... Les systèmes KDF®55 & GAC Filtre enlèvent:

Les métaux lourds ... plomb, mercure, arsénic, zinc, cuivre, fer
• Les Pesticides & Fongicides
• Les Trihalométhanes (volatiles)
• Les Bactéries & Algues
• Le Chlore
• Mauvais Goût & Odeurs

Étape 3 ... Maintenant purifiée tout en ayant conservé sa Force Vitale ... cette eau est maintenant dynamisée – Revitalisée par l'Unité Hexahédron 999 et procure une :

Eau Vivante

Le système KDF est une alternative aux eaux d'osmose inversée et distillées ... filtrant mieux les polluants tout en conservant 90% de la Force Vitale existante dans une eau et augmentant les ions négatifs.

Eau Magnétisée
avec aimants "man-made"

Plusieurs se posent la question sur l'eau magnétisée par des aimants ou des électro-aimants ... Pour répondre à cette question, il est nécessaire d'avoir un aperçu sur l'évolution actuelle de l'humanité et de la "station Terre".

Le corps humain est en transformation, c.-à-d. que plusieurs vivent l'expérience d'un changement de leur champ magnétique et, par ce fait même, du corps physique. Par une série de résonances BIO-MAGNÉTIQUES qui s'alignent avec les 8 ièmes et 9 ièmes chakras ou centres énergétiques supérieurs, cela contribue à ouvrir le champ magnétique du corps humain à travers un ré-alignement énergétique complet.

Ce changement de notre champ magnétique fait en sorte que notre bagage génétique s'adapte à la Lumière Vivante ou l'Ultra-Lumière. Ces nouveaux champs magnétiques créent des zones nulles ou de points "zéro" pour faire l'interface avec les Ultra-Photons, ou Particules de Lumière de haute vitesse, qui contrôlent la croissance et le développement à l'intérieur de toutes les formes de Vie.

À mesure que la "station Terre" hausse son taux vibratoire par des infusions de la Lumière Vivante (ou énergie Cosmique Primale), chaque forme de Vie sur terre baigne dans ces infusions, dans le bain de la Vie en Action. Ceci fait en sorte que, depuis la convergence Harmonique de 1987, nous entrons dans une nouvelle phase d'évolution.

Cette nouvelle phase amène l'être humain à fonctionner à de plus hautes fréquences de Lumière, donc à porter un plus haut taux vibratoire.

Afin de réaliser cette transformation, ces nouvelles infusions de hautes particules de Lumière accélèrent toute la bio-rythmie du corps humain, ce qui lui permet d'accéder à un niveau vibratoire moins dense que celui de l'énergie matière actuelle.

Ces nouvelles infusions d'énergie Lumière sont en train de changer la densité électro-magnétique afin d'électrifier davantage notre corps. L'électrification de la matière s'installe pour l'adombrement ou la fusion avec notre moi Supérieur (notre Je Suis).

Nous entrons dans un nouveau seuil stellaire, ce qui nécessite une nouvelle vibration magnétique qui change toute l'enveloppe nucléaire de la planète, donc du corps humain aussi.

Ces nouveaux champs magnétiques pénètrent la molécule RIBONUCLÉIQUE (ARN), qui a l'habileté d'ajuster l'intensité du champ magnétique, faisant en sorte que les atomes d'Hydrogène sont augmentés ou se reproduisent davantage pour une plus forte concentration de deutérium (sécrété principalement par l'usine chimique, qu'est le foie).

Ces atomes d'Hydrogène sont en relation avec le lien géométrique de l'ADN, qui est la forme de l'hexagone ou la forme qui donne la Vie.

Il existe dans l'Univers plusieurs facteurs d'ondes électro-magnétiques qui exercent une influence profonde sur l'ordinateur électro-magnétique, qu'est l'être Humain. Ce n'est certes pas avec des aimants ou électro-aimants ("man-made") que les transformations en cours peuvent s'accomplir.

L'utilisation des ces aimants, sources d'énergie de basses fréquences, peut simplement altérer les divers processus de transformation en cours. Seul un expert en la matière peut utiliser des aimants à des endroits ou points spécifiques; tout en dosant l'intensité et le temps d'utilisation de ces aimants (l'intensité de la force électro-magnétique est mesurée en milligauss).

Photon égale énergie. ULTRA-PHOTON et la Lumière Vivante égalent, une plus haute fréquence énergétique vibratoire.

C'est à partir de son centre Coeur, qui émet ce magnétisme de l'Amour, qu'un être Humain peut faciliter les changements avec le concours d'une alimentation vivante et des liquides vivants (eau hautement structurée).

Ce n'est pas avec des gadgets et des pillules que la transformation et/ou le bien-être peuvent être assurés, mais bien par le Magnétisme de l'Amour et le plein bon sens de la Nature.

Retenons ce que nous venons d'aborder, regardons ensemble les effets qu'ont les aimants sur l'eau.

Les aimants et électro-aimants "man-made" émettent un champ énergétique constant et permanent jusqu'à l'épuisement énergétique du dit aimant, en plus d'être une énergie dérivative (ou secondaire) ... une énergie de désintégration.

Certes, ces aimants peuvent hausser le taux vibratoire jusqu'à la capacité maximale du dit aimant (mesurable en milligauss). Exemple ... prenons une eau distillée avec sa Vitalité Générale de 100, ... elle peut hausser jusqu'à 3000 son taux vibratoire ... et un individu qui a un taux vibratoire de soit 400 – 500 – 700 – 1000 même 2000 peut faire l'expérience d'un certain bienfait de cette eau magnétisée, jusqu'à ce qu'il atteigne le taux vibratoire maximal du dit aimant. Toutefois, nous devons considérer la neutralisation de la force vitale par les émissions de "milligauss". Il y a actuellement des aimants sur le marché qui émettent jusqu'à 1400 milligauss. Sachant que la dose sécuritaire pour un corps humain est de "1 milligauss", c'est où le bon sens ?

Encore plus à considérer, est le fait que hausser le haut taux vibratoire sera ainsi difficile à maintenir car son Potentiel Lumineux sera toujours inférieur à sa Vitalité Générale et de plus, ceci favorisera une dégénérescence cellulaire à plus ou moins long terme. Suite à l'analyse de la V.G. et du Potentiel de Lumière de différents aimants utilisés pour dynamiser l'eau, ... voici les résultats :

Vitalité Générale 1200 à 3700
Potentiel Lumineux 1100 à 3300

Leur Potentiel Lumineux est toujours inférieur à leur Vitalité Générale. Vient la question suivante : Jusqu'à quel point êtes vous prêt, à être sous l'emprise et les limitations des énergies dérivatives des aimants et/ou de stopper votre processus évolutif qui est directement lié à l'intégration de votre Potentiel Lumineux ... par l'augmentation de vos Bio-Photons aux télomères (de vos chromosomes) mesurables en u/sec/cm^2; afin d'activer votre régénérescence cellulaire. Pour la plupart des adultes, l'émission de Bio-Photons se situe entre 80 et 120 u/sec/cm^2. Il est nécessaire d'augmenter cette émission à 140, 150, 175, voire même 200 u/sec/cm^2.

Et ce n'est certes pas par le concours des aimants et électro-aimants que cela peut être réalisé ... simple bon sens commun.

Pour ceux et celles qui obtiennent un certain succès avec les aimants, moins de douleur, bravo! pour le temps que ça marche ... Faudra voir au fil des mois ou après quelques années ce qui va se passer dans ces corps qui ont camouflé les inharmonies physiques par les mini-impulsions électro-magnétiques à leurs synapses.

Depuis 1992, et sur le nombre de personnes venues me consulter, au moins une soixantaine utilisant des matelas et attaches aimantés avaient de sérieux problèmes de santé ... voire totalement drainés : douleurs aux chevilles, insomnie, léthargie, et j'en passe.

Souvenez-vous que les aimants ne peuvent guérir une condition inharmonieuse … Tout comme un comprimé, ils peuvent soulager temporairement ou camoufler une condition jusqu'au stade chronique, pour que le corps finalement crie … à l'aide ! Pensez-y bien avant d'investir le fruit de vos labeurs !

Les aimants sont aussi qualifiés d'énergie de désintégration lorsqu'ils ne sont pas couplés par une spirale d'énergie de contre rotation afin de neutraliser la spirale d'énergie négative. Alors, vous avez le choix d'utiliser le **Magnétisme de l'Amour,** énergie primale, ou le magnétisme des aimants, énergie dérivative !

Seule la machine Humaine peut consciemment faire appel et diriger consciemment le Magnétisme de l'Amour. Aucune "machine" ne peut l'imiter … à date !

Quant à notre série d'appareils Hexahédron 999, ils sont conçus pour restructurer et vitaliser l'eau, même si elle est en mode Dégénéro-Actif. Nous utilisons des cristaux et une pochette d'un mélange de 80 minéraux qui sont programmés par notre méthode « d'Activation Holographique Cristalline » faisant appel au Magnétisme de notre Amour doublé d'une intention noble. S'ajoutent les ondes de formes doublées d'un champ d'énergie unifié, en toute simplicité.

En d'autres termes, les Hexahédron 999 sont conçus selon **le mode de fonctionnement des chromosomes** en harmonie avec la terre et les lois naturelles universelles.

Nous vous avons présenté ces données afin de vous éclairer dans votre choix. Chacun a le libre arbitre d'accepter ou de refuser nos expériences, et c'est très bien ainsi … Laissez votre Coeur « Sacré » ou votre propre in-tuition vous guider pour le meilleur de votre évolution.

Il en est ainsi fait.

Voici un tuyau!   Pour un matelas magnétique naturel !

Pour remplacer ces aimants, ... procurez-vous une belle argile verte, ... laissez-la sécher au soleil ... puis martelez-la avec une bûche ou un maillet (évitez le métal), puis dans un "ziplock", ajoutez 100 – 120 g de cette argile en poudre, ... puis insérez à l'intérieur d'un autre "ziplock" bien scellé avec un ruban de cellulose (scotch tape).

Placez 6 de ces pochettes sous les draps, autour du corps et couchez-vous sur ces pochettes ... C'est comme dormir sur un bon sol ... « du camping de ville » .

Depuis l'an 1999, nous produisons des attaches et des petits matelas naturels, sous l'étiquette Vortexjah, en utilisant un mélange d'argile hautement vibratoire et 80 minéraux de source naturelle.

L'impact d'une eau structurée sur les cellules "organiques" organisées

L'impact d'une eau bien structurée sur les cellules vivantes et sur l'organisme humain, ça ne se compte plus ou presque.

Comment évaluer l'ingestion de la forme qui donne la Vie... ? L'Hexagone dans les cellules de notre organisme, c'est le propre à chacun, et sa constante est régénérescence et générescence cellulaire. Cette forme de Vie intelligente de l'Intelligence Universelle relâche et active la Force Vitale dans nos cellules, ce qui en fait la nourriture première de toutes les formes de Vie.

Je le vis, nous le vivons, dans nos cellules et notre corps, mon épouse et moi. Il en est de même pour de plus en plus de gens sensibilisés à l'Énergie Vitale. Il en va aussi de même pour toute l'Humanité, qu'on en soit conscient ou non.

Suite à nos recherches en agriculture pendant sept ans et suite à notre propre régénérescence cellulaire, c'est sans équivoque.

Une eau bien structurée, c'est
VITAL
pour notre bien-être.

Bien loin des soi-disant "Eau Pure" super filtrée, déminéralisée, dénaturée. Une eau bien structurée, c'est un "must" pour la santé !

Pour bien conscientiser une eau structurée sur les cellules vivantes, il est essentiel de reconnaître que tout est ...
- Amour - Lumière
- sons,
- vibrations,
- énergie,
- couleurs,
- condensés en une forme spécifique dans la matière.

La forme est seulement le 2 % de la matière que l'œil Humain peut observer. Il y a le 98 % non perçu qui est :
- sons,
- vibrations,
- énergie,
- couleurs.

Par exemple, l'étymologie de "chromo-zone" est
Chromo = couleur
Zone plus propre à zone, d'où zones de couleurs.

Chaque couleur a sa vibration
Chaque vibration a son "son"
Une eau a sa propre vibration : son et couleurs en énergie.

Lorsqu'une eau est dénaturée, déminéralisée, elle a un très faible taux vibratoire, n'est-ce pas ? Donc, avec pas ou peu de Force Vitale, émettant une énergie-couleur douteuse ou moche. Alors qu'une eau bien structurée vivante dégage une lumière blanche bleutée et différentes couleurs de l'arc-en-ciel, entre autres, avec la brillance de ses Bio-Photons.

Suite à au moins 2000 analyses vibratoires et énergétiques auprès de gens venus me consulter, j'ai constaté chez ceux qui consommaient quotidiennement des eaux dénaturées telles que mentionnées précédemment — incluant l'eau distillée — qu'ils présentaient une Vitalité Générale et un Potentiel de Lumière très bas. Chez eux, peu de joie de vivre; il sont souvent devenus apathiques, amorphes, influençables au moindre courant d'air, avec tendance dépressive.

De plus, j'ai souvent constaté à ces pertes d'énergie, des ongles sans lunules, striés et minces comme du papier; cas souvent vus chez les végétariens non équilibrés dans leurs diètes et qui, finalement, vivent ces ... "mal-a-dit".

Les pires cas observés sont chez ceux et celles qui ré-ionisent leurs eaux par électrolyse. Dans le corps Humain, c'est affreux comme résultat à long terme. Ces appareils d'électrolyse génèrent une photo-copie du pH alcalin. Ouf !

En informant ces gens et en les guidant vers une eau structurée et naturellement minéralisée, les changements positifs sont rapidement observables, généralement en moins de 10 jours. Surtout lorsque cette consommation est combinée avec des minéraux de source naturelle en équilibre, tels le sel marin non raffiné et/ou le sel alcalin (Sel Joyeux* !) et/ou des algues marines.

Un sel alcalin naturel augmente de beaucoup la Force Vitale de l'eau, un bienfait pour le corps Humain avec ses 75 % d'eau. Mes essais avec la solution "ZE" révèlent la présence de beaucoup de prana lorsque le "Sel Joyeux" est ajouté à une eau quelle qu'elle soit, même distillée ou d'osmose inversée.

Il y a une hausse remarquable :

- de la Vitalité Générale
- du Potentiel de Lumière
- des Unités de Bio-Photons
- de force Pranique

... pour les gens qui boivent de l'eau structurée et minéralisée / alcalinisée, au naturel et en équilibre.

* Sel Joyeux (Happy Mood) : un autre de nos produits.

Cette eau bien structurée, hautement vibratoire, va hausser le taux vibratoire de 75 % du volume d'eau et donc des cellules de votre corps.

En buvant régulièrement de cette eau, les cellules augmentent constamment leur taux vibratoire. Et sachez que ce phénomène est observable au niveau des télomères, ces petits cônes à l'extrémité des chromosomes avec leurs Bio-Photons.

L'augmentation des Bio-Photons aux télomères rehausse l'efficacité du langage silencieux de l'ADN par les ondes électro-magnétiques produites par les Bio-Photons qui commandent les enzymes dans leurs fonctions, ainsi que pour toutes les autres fonctions intra-cellulaires.

Et voilà, votre eau bien structurée à l'œuvre. Mission accomplie !

Les cellules du corps travaillent à bien se structurer, c'est-à-dire qu'elles sont mieux porteuses de la géométrie de la forme qui DONNE LA VIE : La forme Hexagonale ou L'Étoile à six pointes.

Ainsi soit-il.

Ce qui se passe dans une cellule Humaine est identique pour toutes les formes organiques, c'est-à-dire qu'une eau bien structurée et absorbée par les racines et les feuilles va hausser le taux vibratoire de celles-ci.

L'eau structurée
va structurer cette plante qui
en retour
va donner des produits qui seront
STRUCTURÉS

ou portant la forme géométrique
qui donne la VIE
à toi et à moi,
aux animaux,
aux oiseaux,
etc ...

Une plante devient ce qu'on lui donne.
Un animal devient ce qu'on lui donne.
Un corps humain devient ce qu'on lui donne.

Pas besoin d'une thèse pour le comprendre et l'intégrer dans sa Vie, ici main-tenant.

Mes essais effectués en serre, au jardin et sur les plantes d'intérieur, ont donné d'excellents résultats et ce, en moins de 15 jours suivant le début d'arrosage des plantes avec une eau bien structurée. Et je ne suis pas le seul à pouvoir en témoigner. D'autres en Colombie-Britannique, en Californie, au Québec, ont également constaté des rendements hors du commun.

De plus, il est important de noter qu'en utilisant une eau structurée, nous avons également réduit de 15 à 30 % l'apport d'éléments nutritifs extérieurs, tels que fertilisants et autres éléments nutritifs. Des tests ont été effectués en culture en serre avec un terreau et en culture hydroponique, en comparant des plantes d'égales dimensions; la réduction de fertilisants est indéniable et ce, grâce à l'eau hautement structurée.

Confirmation pour nous, qu'une eau bien structurée est le principal élément nutritif des plantes.

Ça va de soi également pour le corps Humain et pour les animaux « y tout » . Amen.

Autres tests disponibles sur notre site Internet
www.wateralive.excelexgold.com, cliquez sur Photo Gallery.

Comment une eau bien structurée assiste le bien-être du corps physique

Quitte à me répéter : Le corps devient ce qu'on lui donne. Il en va de même pour les plantes et les animaux, ainsi que pour tous les organismes vivants.

Lorsque le corps est nourri de Big-Mac et fritures, de Kentucky, de Burger King, ou de toute autre marque de commerce, ajoutons à ça du Coke, du Pepsi, de la Slush et, pour compléter, réchauffons un peu de nourriture au micro-ondes, des OGM, pains blancs et compagnie...
le corps devient ce qu'on lui donne !

Donc, aliments et breuvages "morts" et acides donnent comme résultat une dégénérescence cellulaire hâtive et/ou accélérée... !

Maintenant, en donnant de l'eau structurée vivante, portant la géométrie de l'Hexagone dans sa structure moléculaire, qu'est-ce qui se passe dans les cellules du corps physique ?

* Considérant que le corps physique est composé d'environ 75 % d'eau;
* Considérant que l'eau est programmable;
* Considérant qu'une Eau Structurée et Vitalisée porte un haut taux vibratoire ... Eh bien, lorsque l'on sert au corps physique de cette eau vivante et des aliments structurées, toutes les cellules de corps physique haussent leur taux vibratoire.

✸ Il est évident qu'une haute fréquence vibratoire influence facilement une plus basse fréquence donc, en buvant une eau structurée Vivante ayant un haut taux vibratoire, toutes les cellules vont s'ajuster à ce taux vibratoire plus élevé et les résultats vont suivre en deçà de 10 jours, pour la plupart des gens.

Nous avons reçu des témoignages où des gens font l'expérience de plus d'énergie en moins de trois jours et ce, en buvant 2 litres d'eau hautement structurée par jour.

Nos essais en serre et avec des plantes de maison ont démontré qu'entre 7 et 15 jours, il y a une différence remarquable sur la croissance des plantes arrosées avec de l'eau bien structurée.

Aussi remarquable est la réduction des éléments nutritifs fournis allant de 15 à 30 % pour des plantes d'égal format.

Comment ça ?

Eh bien, une eau bien structurée et revitalisée possède une tension de surface moins dense ou encore la membrane de l'eau est plus mince. Elle absorbe donc mieux les éléments nutritifs, tout en haussant aussi le taux vibratoire des cellules des plantes favorisant ainsi le "plein potentiel" à ces plantes en plus d'augmenter la concentration en Prana, Force Vitale et également de mieux "hydrater" les cellules.

Il en va de même pour le corps Humain lorsqu'il consomme une eau bien structurée. Les éléments nutritifs sont mieux assimilés, procurant ainsi un meilleur métabolisme, tout en réduisant la consommation d'aliments et une meilleure hydratation des cellules. Le bio-rythme du corps Humain est aussi accéléré passant graduellement de 28 jours à 21 jours ou moins. Pensez-y bien !

Tout récemment nous avons mis la main sur le livre du Dr Mu Shik Jhon suite à ses 25 années de recherches sur l'influence de la structure hexagonale qui viennent corroborées nos conclusions et nos expériences des effets de l'eau structurée sur les différentes formes de vie, incluant le corps humain.

Voici un sommaire des recherches scientifiques du Dr Mu Shik Jhon ➔ Même si le sujet de l'eau structurée peut être nouveau pour beaucoup de gens ... il y a eu plusieurs recherches scientifiques concluantes ces 20 ou 30 dernières années. Un des plus grands chercheurs dans ce domaine est le Dr. Mu Shik Jhon (Coréen) qui a publié plus de 200 ouvrages scientifiques. Ses travaux reconnus sont : la théorie des liquides, l'eau structurée, les propriétés des solutions électrolytes, les propriétés des liens de l'hydrogène, les mécaniques statistiques, la théorie chimique des polymères, et la chimie quantique.

Selon le Dr Jhon "Toutes les eaux ne sont pas créées égales et c'est la structure d'eau dans notre corps qui détermine la santé ou la maladie." Suite à d'intenses recherches, le Dr Jhon a développé la "Theorie de l'environment de la molécule d'eau" qui'il a présentée à un groupe de scientifiques en 1986, lors d'un symposium sur le cancer aux États-Unis. Cette théorie suggère qu'en faisant le plein d'une eau hexagonale, le corps peut augmenter sa vitalité, ralentir le processus de vieillissement et prévenir la maladie. Donc boire de l'eau "hexagonale" est la seule façon réaliste d'augmenter cette composante vitale pour nos corps.

Le Dr Jhon utilise différentes méthodes pour confirmer ses théories telles que : La technologie NMR (Nuclear Magnetic Resonance), X-ray diffraction, simulateur par ordinateur, la spectroscopie, et autres méthodes. Utilisant la technologie NMR, il a scientifiquement démontré que l'eau structurée pénètre les cellules du corps humain beaucoup plus rapidement et apporte plus efficacement les nutriments et l'oxygène qu'une eau déstructurée. Donc, assiste à l'absorption des nutriments et l'élimination des déchets. Lorsque l'eau structurée remplace l'eau déstructurée dans le corps, l'échange d'eau et le métabolisme sont augmentés ... ce qui influence positivement plusieurs autres fonctions du corps. Le Dr

Jhon conclut que l'eau structurée assiste le métabolisme, supporte le système immunitaire et contribue à une plus grande vitalité.

La méthode MRI (Magnetic Ressonance Imaging) n'a pas seulement démontré une diminution du contenu d'eau dans le corps, mais qu'il y a une différence dans la quantité d'eau structurée dans le corps partant de l'enfance jusqu'au vieillard. D'après la "Théorie de l'environnement de la molécule d'eau", le vieillissement est le résultat direct de la perte de l'eau hexagonale dans les organes, les tissus et les cellules ainsi qu'une diminution générale du contenu d'eau dans le corps.

Dans ses études sur l'eau structurée et les protéines, le Dr Jhon a découvert que l'eau qui entoure une protéine normale (cellules) prend la structure de l'hexagone. Au contraire, l'eau qui entoure une protéine anormale (causant le cancer) avait une augmentation des structures du pentagone, ainsi qu'une diminution significative des structures de l'hexagone. Le Dr Jhon a aussi réalisé que l'eau qui entoure l'ADN normal était beaucoup plus avec une structure hexagonale, qui vient agir comme stabilisatrice de la structure hélicoïdale de l'ADN, formant ainsi une protection contre les influences extérieures pouvant causer des mauvais fonctionnements ou des distortions à l'intérieur de l'ADN.

Cette recherche a aussi démontré qu'une eau qui a la structure de l'hexagone a une plus grande capacité énergétique ... elle a une plus grande capacité de travail, d'expulser les déchets, d'absorber les changements de température et de protéger contre différentes influences énergétiques.

Son travail de recherche a aussi démontré que l'organisation "structurelle" de l'eau est influencée par la présence de minéraux dans l'eau (Total Dissolved Solids ou TDS). Ces minéraux sont présents sous la forme d'ions (particules chargées électriquement). Ainsi, les eaux provenant de différentes régions auront différentes concentrations d'ions d'après les types de roches et de sols auxquels elles auront été exposées. Il a aussi déterminé que certains ions vont renforcer la structure hexagonale de l'eau et que d'autres ions vont effectivement affaiblir cette structure.

Ions pour la structure Augmentent l'eau hexagonale	Ions qui brisent la structure Augmentent l'eau pentagonale
Calcium	Magnésium
Lithium	Potassium
Sodium	Rubidium
Zinc	Aluminium
Fer	Chlore
Cuivre	Brome
Argent	Fluor
Nickel	Iode

Voilà une bonne raison pour boire une eau avec ses minéraux dissous plutôt que de l'eau distillée, d'osmose inversée ou autres eaux déminéralisées, tant que la concentration des minéraux qui favorisent la structure est plus élevée que la concentration de minéraux qui déstructurent l'eau. Au fait, le Dr Jhon mentionne dans son livre que des experts Japonais afin de répondre à la question : "Quelle est la meilleure eau à boire ?" en sont venus à la conclusion suivante : Buvez une eau contenant les minéraux essentiels en équilibre. Par surcroît ils ajoutent que boire de l'eau distillée, qui enlève les substances dommageables incluant les minéraux dissous, ne convient pas d'un point de vue biologique et médicical.

Suite aux recherches du Dr Mu Shik Jhon concernant l'eau hexagonale structurée qui vont plus loin que des théories en, en faisant une branche acceptée par la science. Dans les pays Asiatiques, la théorie que l'eau hexagonale est importante pour la santé est devenue un fait établi. Il nous reste à apporter ces connaissances dans le monde occidental.

« La santé, c'est une implication de chaque jour,
en tout et pour tout, et ça s'assume. »

Donc, l'EAU, C'EST "VITAL".

Les aliments solides viennent après, en importance, alors mieux assimilés.

Essais avec les animaux et non sur les animaux

Les animaux répondent très bien à une eau structurée à la VIE !

Voici quelques (tests) essais ➔ Dans une réserve amérindienne à Bella Colla, en Colombie-Britannique, un couple a installé l'Hexahédron 999 pour toute la maison, alimentée à partir d'un puits artésien.

Deux bols d'eau sont remplis pour les animaux et placés à deux mètres de distance entre eux : l'un avec de l'eau provenant directement du puits et l'autre avec l'eau du puits revitalisée par l'unité Hexahédron 999 de la maison. La réaction des chiens et des chats était claire : ils allaient boire au bol d'eau structurée et revitalisée par notre unité Hexahédron 999.

Ce couple nous a également précisé que jamais auparavant ils n'avaient obtenu de si beaux jardins. Aucun doute ne subsiste dans leur esprit quant aux bienfaits de l'eau structurée.

Autre cas ➔ En mai 2003, un cultivateur de Williams Lake, en Colombie-Britannique, a commandé 320 poussins de l'Alberta pour sa production de poulets de grain.

Le vendeur de poussins demande au cultivateur s'il est d'accord pour donner les injections habituelles aux poussins, ce que le cultivateur refuse catégoriquement. Le vendeur l'informe alors qu'il risque de perdre entre 10 et 30 % des poussins dans le transport. Le cultivateur accepte d'en assumer le risque.

Entre temps, il installe, à la maison, le système d'eau Hexahédron 999 autant pour les besoins domestiques que pour ceux de la petite ferme.

Deux mois après la réception des poussins, il nous a informé qu'il n'avait perdu que six poussins sur les 320 poussins non vaccinés. Ce qu'il a fait de spécial ? Il leur a donné de l'eau structurée par l'Hexahédron 999.

Une autre preuve qu'en haussant le taux vibratoire des cellules des organismes vivants, il y a augmentation de la Force Vitale et prévention des inharmonies cellulaires et/ou de la résistance aux infections.

Autre cas ➔ Les résultats préliminaires d'un aviculteur, près de Québec, avec un poulailler de 5300 pondeuses. Suite à l'installation de notre système Hexahédron 999 sur son système d'eau; après 7 semaines : le taux de mortalité fut réduit de 50%. Voilà une preuve tangible des avantages d'une eau bien structurée.

Une Eau Bien Structurée pour le plein potentiel des plantes

Une eau hautement structurée dévoile le plein potentiel des semences et des cellules des plantes pour des produits structurés avec saveur ajoutée ... Il en va de même pour les cellules du corps humain, ainsi que pour tous les organismes vivants.

"Cela se produit par l'augmentation des Bio-Photons en activant ainsi le taux vibratoire des cellules."

Nous avons vérifié l'influence d'une eau hautement structurée sur l'ensemble de notre jardin de 3000 pi² et 1200 pi² de serre, jusqu'en mai 2003.

Nous avons constaté dans un premier temps que la germination des semences s'est accélérée de 50 à 200% ... avec un plus haut taux de germination de 20% à 47%. Exemple ... la germination d'une semence de cornichon, germée avec racines et racinettes en 48 heures, procure un plant avec une première feuille après les cotylédons, en 7 à 9 jours.

Aussi, les racines et racinettes sont plus grosses et plus nombreuses. Ce qui produit une plante plus grosse, plus productive et des produits extra savoureux, tout en réduisant l'apport d'éléments nutritifs de 10 à 30%.

Dans ce chapitre, nous vous présenterons les résultants de nos expériences en utilisant de l'eau hautement structurée pour les semences, grains, fleurs, plants en jardin et en serre. C'est parti!

1. Germination avec l'Eau Structurée ➔

En janvier 2002, nous avons vérifié l'influence d'une eau structurée sur les semences et divers grains. Puis, nous avons poursuivi nos essais utilisant divers types d'eaux : eau du ruisseau, eau municipale chlorée, d'osmose inversée, d'osmose inversée 7 et 9 étapes de filtration.

a) Eau du Ruisseau vs l'Eau Structurée

Notre premier test utilisant un seigle bio et deux types d'eaux : l'eau du ruisseau et l'eau du ruisseau passant à travers l'Hexahédron 999. À noter, ... l'eau du ruisseau provient des montagnes jusqu'aux robinets de la maison et de la serre, « quel Cas-d'Eau ».

Ce premier test utilisant 400 gr de grains de seigle bio ... chaque échantillon trempe 12 heures dans leur eau respective. Aucune autre variable pouvant influencer : même température, même quantité d'eau, contenants identiques, même tapis de coton placé au fond du bac de germination. Nous couvrons les bacs avec un linge à vaisselle, de couleur (vert foncé). La température de la pièce, 72 °F pour la durée des essais.

Chaque jour, nous rinçons les grains avec leur eau respective : même quantité d'eau, même température d'eau.

Après 3 jours nous pesons les germinations et mesurons la hauteur des pousses. Et voilà, avec l'eau passant par l'Hexahédron, nous observons un gain de poids de 39% et une hauteur ajoutée de 71% par rapport à l'utilisation de l'eau du ruisseau. Nous voulons en être bien certain, alors nous répétons les tests. Voyez les résultats des tests au tableau suivant.

Seigle Bio	TEST No 1		TEST No 2	
	Ruisseau	Hex. 999	Ruisseau	Hex. 999
Quant. de grains départ	400 g	400 g	400 g	400 g
Poids après 3 jours	936 g	1092 g	1076 g	1202 g
Gain total poids	536 g	692 g	676 g	802 g
% Gain v. poids départ	234%	273%	269%	300.5%
Différence		39% Plus		31% Plus
Pousses hauteur en cm	1 – 1 ¾	1 ½ - 3	1.5 - 3	3 à 6
Différence		71% Plus		100% Plus

Ce que nous pouvons observer, c'est que le simple apport d'une eau hautement structurée apporte des gains appréciables au niveau poids, production, vitalité et croissance. Poursuivons ...

b) Eau municipale (chlorée) vs l'Eau Structurée

Pour ce test, nous utilisons de l'eau municipale (du village voisin Chase, C.-B.) et l'eau du ruisseau passant par l'Hexahédron 999. Nous utilisons deux types de grains : 400 g de seigle et 100 g d'orge.

Conservant la même méthodologie et prolongeant les tests à 5 jours, ... nous observons que les performances de l'Hexahédron se confirment à chaque test. Voici le tableau comparatif:

	Seigle TEST No 1		Orge TEST No 2	
	Eau ville	Hex. 999	Eau ville	Hex. 999
Quantité de grains au départ	400 g	400 g	100 g	100 g
Poids après 5 jours	906 g	1006 g	224 g	246 g
Gain Total	506 g	606 g	124 g	146 g
% de gain vs poids au départ	226.5%	251.5%	224%	246%
Différence poids		25% Plus		22% Plus
Hauteur des pousses en cm.	1.5 – 2.5	3.5 – 4.5	3 - 4	6 to 7
Différence des racines		25% Plus	10% ancrée au tapis coton	90% ancrée au tapis coton

c) Osmose inversée vs l'Eau Structurée

Prochains tests utilisant l'eau de ruisseau à travers l'Hexahédron 999 et une eau d'osmose inversée avec 9 étapes de filtration. Nous faisons deux tests : un avec seigle et un avec blé bio. Cette fois, nous poursuivons les tests jusqu'à 7 jours. Regardons les résultats avec le seigle:

Seigle	Osmose Inversée	Eau Hex. 999
Poids au départ	200 g	200 g
Eau de trempage	300 g	300 g
Eau restante suite au trempage	174 g	166 g
% différence d'absorption		2.66% Plus
Poids total des pousses après 7 jours	762 g	894 g
Augmentation totale en rapport au poids départ	381%	447%
% différence ajoutée		66% Plus
Hauteur moyenne des pousses	5.5 cm	7 cm
% différence ajoutée		27% Plus

Maintenant, nous obtenons une hausse très marquée du poids, soit 66%, alors qu'avec les autres types d'eau nous obtenions 22% et 39%. Ceci est le début de la preuve évidente que les eaux soit - disant pures par osmose inversée sont dépourvues de force vitale et que les plantes deviennent ce qu'on leur donne ... tout comme le corps humain. Poursuivons nos tests et voyons maintenant les tests avec le Blé ... très concluants :

Blé Temp. de la pièce 72 °F	Osmose Inversée	Hexahédron 999
Poids au départ	200 g	200 g
Poids eau trempage	300 g	300 g
Eau restante suite au trempage	192 g	186 g
% différence d'absorption		2% Plus
Poids total après 7 jours	580 g	828 g
% augmentation vs poids au départ	290%	414%
% de la différence		124% Plus
Hauteur moyenne des pousses	7 cm	9.5 cm
% différence hauteur		35.7% Plus

WOW! ... 124% plus de gain en poids, simplement avec l'utilisation d'une eau hautement structurée versus une eau d'osmose inversée 9 étapes de filtration que l'on retrouve dans des machines distributrices des grandes chaînes alimentaires ... et dire que beaucoup de gens consomment cette eau dénaturée!

Ceci est spécial! En Colombie-Britannique, en 2002, un représentant de systèmes d'osmose inversée nous a rendu visite car il avait appris que nous étudiions la possibilité de faire du sirop à partir de la sève de bouleau.

Nous lui avons fait part de nos recherches et découvertes sur les différents types d'eau. Il nous a mentionné qu'il était dans ce domaine depuis 25 ans et que jamais une eau d'osmose inversée ne devait être utilisée pour les plantes ... "Ça ne pousse pas", ajouta-t-il ?. Alors je lui ai dit ... "et que pensez vous de l'osmose inversée pour le corps humain? N'est-ce pas bizarre! Euh! Euh! ... il est reparti et je ne l'ai jamais revu !

Au début de l'an 2002, nous avons demandé à un ami coordonnateur pour le développement de nouveaux produits et contrôle de la qualité d'une importante firme en traitement des grains de la Saskatchewan, Canada, de vérifier les effets de l'eau structurée sur les germinations. Ses résultats viennent confirmer nos découvertes : l'eau hautement structurée augmente de beaucoup la germination des grains (autres tableaux et chiffres sont disponibles sur notre site web afin de ne pas trop charger ce livre : www.wateralive.excelexgold.com).

2. Eau Structurée et les Fleurs ➜

À l'automne 2001, on s'est demandé si une eau bien structurée pouvait avoir une influence sur les fleurs coupées?

À partir d'un même rosier ... on a coupé deux boutons de rose de même format. Nous avons placé un bouton avec sa tige dans un verre d'eau provenant du ruisseau et l'autre bouton dans un verre d'eau de ruisseau passant par l'Hexahédron 999. Les eaux ont été laissées à elles-mêmes, sans changer l'eau, jusqu'à l'étape finale !

 Après 3 ½ jours, une différence marquée. La rose avec l'eau du ruisseau a la tête basse 50% ouverte ... à gauche, la photo de l'autre rose toute épanouie qui resta ainsi pendant 7 jours.

Autre expérience ... notre cactus de Noël fleurit une fois fin novembre, parfois quelques fleurs en juin. À l'automne 2001, nous lui avons servi de l'eau Hexahédron 999. Eh bien, ce cactus a fleuri 3 fois en 4 mois ... plein bouquet de superbes fleurs.

Transportons-nous à la serre ... il y a une plate-bande de géraniums. Nous sommes au printemps 2002 et les géraniums sont dans la serre depuis l'été 2001. Leurs hauteurs moyennes atteignent 30 à 36 pouces maximum (un mètre maximum).

La serre est gardée à la température de 55 – 60 °F pour l'hiver et nous laissons les plantes en dormance pour les activer autour de la mi-janvier.

Arrosant un groupe témoin avec de l'eau de ruisseau et l'autre avec l'eau de ruisseau passant par l'Hexahédron 999 ... au départ les plants font environ 10 – 12 po (ou 25 à 30 cm).

Début mars 2002, le groupe témoin arrosé avec l'eau passant par l'Hexahédron 999 a le vent dans les voiles ... du jamais vu. Ces plants ont presque doublé leurs formats incluant hauteur / grosseur des feuilles et des fleurs ... Wow! Et ce n'est que le début, car en mai 2004, avant de quitter la C.-B., ces géraniums ont atteint 5 pi 8 po (ou 1 mètre 70 cm) avec fleurs à hauteur de mes yeux (voir photos).

Géraniums	Eau du Ruisseau	Eau Structurée
Hauteur des plants	36 cm	70 cm
Grosseur de feuilles (moyenne)	à 7.5 à 10 cm	à 13 à 21 cm
Grosseur de fleurs tête (moyenne)	à 6 à 7.5 cm	à 8 à 10 cm
Grosseur de fleurs individuelles	3 cm	5 cm

Eau Structurée

Eau du Ruisseau

Les pétunias sont les dernières fleurs sur la liste de nos expériences. En 2001, nous avons ajouté des pétunias dans nos plates-bandes autour de la piscine intérieure, dans la serre. Vers la mi-janvier 2002, après un repos de quelques mois, nous les avons ravivés en prenant bien note des changements lorsque l'on a servi de l'eau structurée aux plants témoins.

Première observation est la prolifération des fleurs ... si abondantes qu'il a fallu monter un treillis de 4 pi (124 cm) pour les retenir. En 2003, 18 po (45 cm) fut leur hauteur moyenne ... puis fait à noter, les fleurs ont pratiquement doublé passant de 1.5 – 2 po à 4 po (10 cm) de diamètre.

3. L'Eau Structurée et les Semis ➔

Nous préparons nos semis depuis 7 ans choisissant les meilleurs spécimens de la façon suivante. Les semences sont d'abord trempées la nuit. Puis, sur une serviette de papier trempée, nous plaçons les semences. Ensuite, la serviette est glissée dans un "ziplock" jusqu'à la germination, pour finalement être plantées dans le sol.

Au printemps 2002, nous avons ajouté quelques gouttes d'un produit maison (sous l'étiquette Aquakaline 777) par contenant de trempage 6 oz (approx. 180 ml). Cet Aquakaline 777 a la propriété de structurer l'eau, apportant 80 minéraux et éléments-traces en équilibre, un puissant concentré qui accélère la période de germination et augmente les racines et les ions négatifs.

À notre grande surprise, la semence de cornichon germe en 24 heures et, en 48 heures les racines et racinettes abondent. Les premières feuilles après les cotylédons émergent entre 7 et 9 jours. Un autre exemple, la semence de la citrouille qui prend normalement entre 10 – 14 jours est bien germée avec racinettes entre 4 – 6 jours.

Un autre volet à notre culture est le drageonnage. Eh bien, prenant au hasard un drageon de tomate de 6 à 24 po (15 à 144 cm), placé dans l'eau structurée Hexahédron 999 et quelques gouttes d'Aquakaline 777 ajoutées. Eh bien, en 5 – 8 jours, les drageons sont pleins de racines ... puis placés en terre forment des plants en fleurs en 10 – 18 jours ... Les petites tomates sont en chemin.

Nos techniques permettent d'accélérer la période de maturité des agro-alimentaires de 2 – 4 semaines ce qui est idéal pour les cultures en serre ou pour les régions avec climat plus froid.

4. *Eau Structurée égale Plante Structurée* ➔

Au printemps 2002, le jardin est complété, et l'on agrandit la serre d'un 32 x 20 pieds. Le nouveau sol est en place avec beaucoup de fumier bien composté. Sur une surface de 20 x 5 pi (6 m x 1.5 m), nous plantons 36 plants de tomate et 200 plants de persil ... « c'est du monde à la messe ». Oui c'est tassé, et c'est une expérience. Étant donné la densité des plants, j'ai fertilisé avec du 20- 20-20 à raison de 20% à 30% de la dose recommandée par le fabricant.

Dans l'autre surface attenante aux tomates, nous avons les cornichons. Quelle merveille ! ... les feuilles du plant de cornichons ont doublé, passant de 6 à 12 po (30 cm) d'envergure avec 5 – 7 cornichons ou fleurs par joint de ses feuilles. Puis à 250 g (1/2 lb) les cornichons n'ont pas encore formé leurs semences et sont d'une saveur exquise. La pelure est comestible sans le filon amère. Les formats atteignent 1 ½ lb (650 – 700 g)

Feuille du cornichon 12 po (30 cm)

Allons voir ce qui se passe dans le jardin avec l'influence de l'eau structurée.

Voici la feuille de bardane, plante de la première année suite à l'arrosage avec l'eau du ruisseau passant par l'Hexahédron 999 (pas d'Aquakaline 777). Elle fait plus de 3 pieds (1 mètre) de long. Nous avons toujours eu des bardanes autour de la maison, mais après 7 ans ce fut du jamais vu. Normalement, la bardane d'un an fait 12 à 18 po (30 – 45 cm).

Voici notre rhubarbe avec ses feuilles de 33 po (près d'un mètre) d'envergure, suite à l'apport de l'eau Hexahédron 999 et de 3 applications de l'Aquakaline 777, fin printemps et début de l'été. La feuille de cette rhubarbe que vous voyez est de la deuxième récolte!

Voici les feuilles de la courge hubbard avec ses 18 po (45 cm) d'envergure. Utilisation de l'eau Hexahédron 999 et 3 applications de l'Aquakaline 777.

Voici la fève verte, 4 semaines après sa mise en terre, encore très jeune, non à maturité, qui a atteint 12 po avec feuilles de 9 po (22.5 cm).

Le raifort atteint 4.5 po (140 cm.) Depuis 4 ans, il n'avait jamais dépassé 60 à 95 cm ... et des racines. Ah ! – il y en avait!

Plant de Tabac
Photo prise Août 29, 2002

Dans une terre argileuse, s.v.p. faire pousser du tabac, eh oui, avec l'Hexahédron 999 et l'Aquakaline 777. Produisant 18 à 22 feuilles larges et longues, avec la tête en fleur qui atteint 8 pi (2.4 mètres).

Dimension des feuilles en moyenne
20 po de large x 29 po de long (50 cm x 72.5 cm)

Comment avons-nous obtenu ces méga-résultats? Nos 7 années d'expériences démontrent très bien qu'une eau bien structurée possède un haut taux vibratoire avec sa grille géométrique cristalline qui reçoit et émet ses Bio-Photons. Il y a une meilleure hydratation des plantes, transportant plus efficacement les minéraux et autres éléments nutritifs tout en haussant leurs taux vibratoires. Par conséquent, une eau bien structurée va structurer les cellules des plantes ... afin qu'elles puissent développer le plein potentiel de leur plan original de perfection (original blueprint).

Un pensez–y bien ! Il y a une intelligence à l'intérieur de chaque semence, ce que la science nomme « l'instinct » ! C'est cette intelligence issue de l'intelligence Universelle qui est véhiculée par les Bio-Photons, polarisés par les ondes de forme propres à chaque espèce ou forme de vie, sur cette station Terre. Il en va de même pour l'être humain. Prenez l'exemple d'une semence d'un plan de tabac ... si petite, plus petite qu'un grain de sel et pourtant, elle a le potentiel de produire une plante qui peut atteindre 8 pi (2.4 mètres) avec 18 à 24 feuilles de 29 po X 20 po (72 x 50 cm) une tige qui fait de 3 à 4 po (7.5 à 10 cm) de diamètre, totalisant un poids de 20 kilos et plus. Cette intelligence répond à la qualité d'une eau structurée, à la présence des minéraux et micro-organismes. Les plantes vont même ajuster leur croissance au plus petit dénominateur des éléments nutritifs présents dans leur environnement.

Poussant plus loin nos observations, une plante peut croître selon nos attentes ou nos limitations. Exemple ... le poinsettia de décembre dernier, ... je lui ai dit : "Tu es magnifique et j'aime tes belles feuilles rouges, si tu peux les garder longtemps, je vais te donner de l'eau bien structurée". Ce poinsettia a laissé sa dernière feuille rouge à la mi-mai et il y a de nouvelles feuilles qui sortent avec des teintes de rouge!

Parce que nous avons des limitations sur comment doit pousser une plante, nous manquons l'ouverture du **tout est possible** ! Puis à grands coups de fertilisants, pesticides, herbicides, nous avions négligé l'aspect du principal élément ... l'eau ... bien structurée avec sa force vitale et l'activité de ses Bio-Photons. La base fondamentale de la vie.

Aussi, si vous couplez avec des ondes de forme des géométries sacrées faites avec des pierres et/ou des cristaux dans le jardin et/ou la serre, vous serez surpris des résultats. (Nous vous suggérons la lecture du livre « les radis de la colère », ainsi que son deuxième ouvrage, par Marie-Thérèse Castano. Nous avons fait l'expérience de lignes/ondes de forme dans notre jardin et serre de 1997 à 2003.

Ce qui est vrai pour les plantes est aussi vrai pour le corps humain ... Une eau bien structurée, voire hautement structurée et des aliments structurés, c'est autant plus d'atouts pour l'activation du plan original de perfection pour l'humanité. Ce sont des éléments clés pour l'activation de notre ADN, ... nous éloignant du mode Dégénéro-Actif afin d'engager la Régénérescence cellulaire par le mode Régénéro-Actif propre à ces deux éléments clés ... l'eau hautement structurée et des aliments bien structurés,... « car le corps devient ce qu'on lui donne ».

En résumé, ce que nous avons réalisé durant ces 7 années de recherches avec méga-résultats en agro-alimentaires, à hausser le taux vibratoire et structurer les plantes, nous a procuré :
• Des plants plus gros et sains;
• Des plants moins sujets aux maladies et/ou anomalies;
• L'opportunité de réduire les apports nutritifs de 15 à 30%, format plante pour format plante;
• Plus de saveur.

Les même bienfaits d'une hausse de taux vibratoire peuvent servir tout autant le corps humain. Par delà le papier monnaie, comment évaluer les avantages d'un corps "vibrant" de santé engagé dans sa générescence (Genesis) et Régénérescence (Regenesis) cellulaire, par le biais d'une eau hautement structurée et des aliments bien structurés ? Il en est ainsi fait.

5. *Plantes Structurées égalent Produits Structurés* →

En plus de produire des plants plus gros, des récoltes plus abondantes, les saveurs sont distinctes et exquises.

En 2002, nous avons fait la culture des concombres, cornichons, plusieurs variétés de tomates, des courges, des céleris et bien d'autres.

Prenons les concombres du type "Straight 8" (8 pouces droit), c'est sa marque de commerce. Il est devenu un "Straight 12", c.-à-d. un droit de 12 po comme un concombre anglais, mais avec ses semences.

Oui, ça ressemble au concombre anglais, mais c'est bien un "Straight 8" qui atteint 12 à 13 po (30 à 32.5 cm). Bien tendre et sucré. Les "Straight 8" sont reconnus pour être un peu amers? Même la pelure est délicieuse avec notre "Straight 12".

Des agriculteurs venus déguster nos produits ont laissé sur la table leurs concombres et tomates pour savourer les nôtres vantant la saveur exquise de nos produits à leurs amis. D'ailleurs, plusieurs font usage de nos Hexahédron 999 pour les grandes cultures, les jardins et serres.

Pour les cornichons, ce fut tout un succès, en format et en saveur.

À droite le petit cornichon traditionnel.

À gauche le méga cornichon structuré.

Le cornichon structuré atteignant entre 400 et 600 g. Non, il n'était pas coriace au centre avec de grosses semences, mais bien tendre avec de jolies semences, à mûrir plus tard.

Tout comme le "Straight 8 (12)" nos cornichons avaient un léger goût de melon d'eau ... juteux non amers, faciles à digérer même avec la pelure.

Passons maintenant aux tomates. (plusieurs variétés) ...

- Cerises,
- Roma Petite,
- Bonny's Best,
- Brandy Vine, et
- Beef Steak

Toutes nos semences sont libres d'OGM et sont de culture bio. Nous avons même apporté nos semences au Québec. Car, elles sont structurées, ce qui est très rare sur la planète actuellement.

Une photo vaut 1000 mots ... regardez-moi cette tomate super délicieuse.

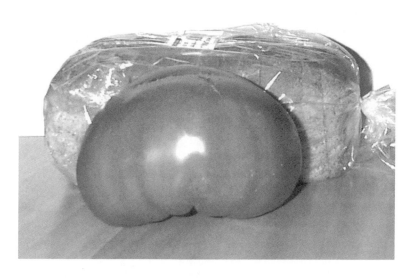

Cette tomate massive fait 2 lb 1 oz (près d'un kilo) ...
placée devant un pain

Cette méga tomate fait 10 sandwichs avec ses tranches épaisses et juteuses ... Bon appétit !

Les prochaines photos, d'autres méga résultats:

Les Céleris

M. Excelex tenant un céleri de 4 lb (un peu moins de 2 kilos).

Racine de Bardane

Vous vous souvenez de la feuille de bardane de 36 po (1 mètre) pour sa première année … voilà ses racines qui totalisent 5.5 lb (2.5 kilos)

Courge Hubbard

pesant 33 lb (14.9 kilos)

Lorsque l'on a des aliments structurés, avec de plus gros formats, la période du premier cycle de vie peut se prolonger quelques semaines de plus que pour les non structurés.

Les cornichons d'une demi-livre (245 g) sont encore dans leur premier cycle de vie, au plus fort de leur force vitale. Même étant plus gros, ils n'ont pas atteint leurs stades Dégénéro-Actifs.

Récolte de pommes automne 2002

Photo de droite, c'était le genre de pommes que l'on obtenait de 1997 à 2001

Nous terminons ici avec le pommier ... Pour la première fois en 6 ans nous avons obtenu de belles pommes mangeables. Auparavant, c'était de petites pommes pleines de tavelures et amères ... Suite à l'arrosage avec l'eau restructurée par l'Hexahédron 999, les pommes sont grosses, belles et 90% sans tavelures. Récoltant 150 lb de pommes juteuses. <u>Pas d'herbicides, ni de pesticides.</u>

Donc, l'eau bien structurée a permis au pommier de produire le plein potentiel de ses fruits, en restructurant les cellules du pommier, à son plan original de perfection, via l'activation et l'apport de la force vitale et des Bio-Photons.

6. La "Sainte" Tomate ! Holy Tomato! ➔

L'année 2002 fut superbe, tant pour le climat que pour les récoltes structurées. L'étape finale est la récolte des semences structurées en culture naturelle. Nous avions des centaines de livres de tomates ... pour congeler ... mettre en jus ... en pâte ... en sauce, pour la sauce à spaghetti à la Excelex. Récoltant les semences, notre travail tirait à sa fin ... Un matin d'octobre j'entendis intuitivement ... "enlève la tige attachée à la tomate et regarde". Je retire la tige et regarde sur la tomate, il y a une étoile à 6 pointes à l'intérieur d'une plus grande étoile à 6 pointes. Pas possible! Le plan de perfection pour une plante et son produit, c'est la séquence de Fibonaci (Voir photo page suivante).

Au début du livre, nous vous avons présenté les lignes (ondes) de forme ou géométries sacrées et l'étoile à six pointes ou l'hexagone qui est la forme qui donne la Vie. Le corps humain a cette étoile dans ses 8 premières cellules, située au périnée. Cette géométrie est aussi appelée « L'oeuf de la Vie» et c'est la géométrie de base pour toutes les formes de Vie.

L'étoile à 6 pointes, à l'intérieur d'une étoile à 6 pointes, est présente dans le cube de Métatron, c'est le patron universel de la géométrie de la création, qui raccorde le demi-cycle de la Méta-science avec le cycle complet de la science Métatronique ... passant du mode Généro-Actif au mode Régénéro-Actif. Le cube Métatronique contient la réplique tridimensionelle de 4 des 5 solides platoniques. Les solides platoniques sont les formes géométriques de base derrière toutes les formes manifestées.

En observant la fleur d'une plante, elle révèle sa principale géométrie lorsque qu'une plante est non altérée. L'évidence de sa géométrie va se retrouver dans son fruit, puis dans sa semence. Pour la tomate, sa géométrie c'est l'étoile à six pointes et lorsque bien structurée, elle révélera l'étoile à l'intérieur de l'étoile à six pointes.

L'étoile à six pointes à l'intérieur de l'étoile à six pointes,
c'est la séquence de Fibonaci ou le plan de perfection

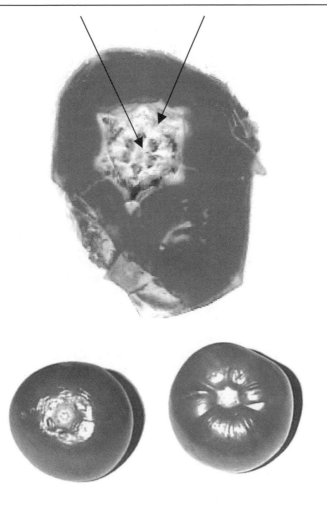

Voici le scénario tangible observable d'une plante qui devient ce qu'on lui donne.

C'est le même scénario pour le corps humain.

Lorsque nous consommons une tomate bien structurée ... Eh bien, les cellules du corps deviendront ce qu'on leur a donné ... pour des cellules structurées et c'est là l'amorce pour notre santé ... la base fondamentale pour la Régénérescence (Regenesis) et la Générescence (Genesis).

7. Produits Structurés égalent Semences Structurées ➜

À l'époque des OGM et des semences « terminator » créées pour un soi-disant mieux-être pour l'humanité, nous avons un sérieux choix devant nous! Un grand pourcentage des produits, semences et grains ont subi des manipulations génétiques. Étant donné que le corps devient ce qu'on lui donne, qu'en seront les effets ... l'impact à long terme de ces manipulations sur les cellules humaines ... sur notre ADN?

Tout comme une eau bien structurée peut influencer la structure des cellules d'une plante, ... il en va de même pour les produits génétiquement modifiés qui transportent leurs fréquences vibratoires à nos cellules. **Le corps devient ce qu'on lui donne**.

C'est l'enjeu pour contrôler la chaîne alimentaire et les semences au profit des dollars illusoires et de l'emprise du pouvoir sur l'humanité par une poignée d'individus égocentriques. Quelle stupidité que d'enlever les semences aux raisins, melons, concombres, même aux pommes ... car c'est le taux vibratoire de la Vie qui est rejeté. Pas de semences ou pépins, c'est la mort ou c'est le mode Dégénéro-Actif.

Aussi ne vous laissez pas leurrer avec les cultures bio, car ce n'est pas une garantie que ces produits sont libres d'OGM ou de produits dérivés de semences "terminator". Soyez vigilants, car le terme bio est galvaudé de nos jours. Des cultures au simple naturel, pas besoin d'une organisation pour le plein bon sens commun; des semences héritages (semenciers du patrimoine) non modifiées, c'est aussi plein de bon sens.

Ces enseignements devraient faire partie de l'enseignement à nos enfants de la maternelle et au primaire, afin qu'ils puissent apprécier la nature et vivre en harmonie avec la nature pour assumer leur santé avec des produits structurés, apportant un nouveau potentiel de Vie à la chaîne alimentaire, ainsi qu'à leur corps.

C'est automatique : des plantes structurées vont produire des semences structurées. Rien à manipuler, car l'Amour engendre l'Amour.

En 2002, nous avons laissé un plant de céleri aller en semence (il donne ses semences aux 2 ans). Arrosé avec de l'eau passant par l'Hexahédron 999, ce plant atteignit près de 8 pieds en hauteur et une tête en fleurs de 5 pi d'envergure. Ça lui a pris 5 mois pour produire ses semences à maturité et la moitié de ce plant produisit plus de 650,000 semences (328 g de semences) à raison d'environ 2000 semences par gramme.

Un céleri en semences

Cela signifie qu'un seul plant de céleri peut produire 1.2 million de semences.

Incroyable!

Et il y a des humains qui pensent faire mieux que notre Créateur … ou mieux que la Nature en modifiant la génétique des plantes!

Voir toutes ces photos en couleurs
à la fin du livre, page 207

Les trois phases de Vie pour les agroalimentaires

Savez-vous qu'il y a trois (3) phases de Vie pour les agroalimentaires ? Eh oui, il y a trois (3) phases de Vie pour une plante tout comme pour l'être humain.

La première phase est Régénéro-Active ... Par exemple, la carotte jusqu'à 30 à 40 jours (approximatif) ... l'enfant.

La deuxième est la phase Généro-Active. Par exemple, la carotte de 50 à 55 jours (approximatif) ... l'adulte.

La troisième est la phase Dégénéro-Active ... Par exemple, la grosse carotte, 60 jours et plus ... le Troisième âge.

Ici, j'ai besoin de souligner qu'il y a plusieurs facteurs à considérer pour identifier ces phases, qui sont :
✓ la qualité de la semence;
✓ la qualité du sol;
✓ la qualité de l'eau;
✓ la culture avec Amour plutôt qu'à coups de force/compression, pesticides, herbicides;
✓ la récolte avec Amour, appréciation et reconnaissance, plutôt qu'avec indifférence ou «ouais» ça va payer;
✓ la qualité des apports nutritifs.

Donc, l'agriculture, c'est un art de vivre afin de récolter la VIE en Action et non seulement des « foods stuffs » pour bourrer le hangar de l'estomac !

Dans l'alimentation, le plus haut taux vibratoire que l'on puisse obtenir actuellement, c'est avec :

la germination * de 3 à 7 jours, ce qui donne :
- Une Vitalité Générale de 2200 à 2900;
- Un Potentiel Lumineux de 2300 à 3000;
- Les Bio-Photons sont de l'ordre de 2 à 10 u/sec/cm^2 et plus

Même la Vitalité Générale et le Potentiel Lumineux sont inférieurs à 7000, à cause des ERP, font en sorte que ces germinations (jaunes) sont Régénéro-Actives.

* Selon la qualité de l'eau utilisée pour faire germer, les eaux mortes, d'osmose inversée, distillées, déionisées, U.V., etc., vont réduire considérablement les lectures ci-haut mentionnées.

Consommer des germinations à l'état jaune, soit avant d'être exposées à la lumière, procure des enzymes photo-réactifs EPR™ pour la régénérescence cellulaire.

a) Souvenez-vous que les certifications biologiques ne sont pas une garantie d'absence d'OGM.
b) Souvenez-vous que le corps devient ce qu'on lui donne.
c) Souvenez-vous que la culture au naturel, avec Amour, a besoin de s'ajouter aux certifications biologiques. Terme trop souvent galvaudé ces derniers temps ... le terme Bio-logique devrait être réservé aux semences du patrimoine seulement.

Les jeunes légumes et fruits frais cultivés au naturel ont une ...
- Vitalité Générale oscillant entre 1700 et 2800 et un
- Potentiel Lumineux oscillant entre 1800 et 2900

... à la condition d'être cultivés naturellement, à partir de « Semences Héritage » (du patrimoine), c.-à-d. sans modification génétique et récoltés durant leur premier cycle de Vie.

NOTE : Il est important, toutefois, de discerner entre des légumes structurés qui deviennent très gros durant leur premier cycle de Vie et les gros légumes dégénéro-actifs récoltés à la fin de l'automne.

Par exemple : dans mes recherches en agriculture, j'obtenais des cornichons de ½ livre (230 à 250 grammes) qui n'avaient pas encore formé leurs semences. Ou encore, des tomates de 2,2 livres (1 kilo), des céleris de 4 livres et plus (2 kilos).

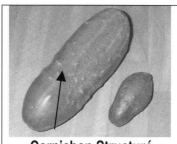 

Cornichon Structuré de l'illustration :	Tomate Structurée de l'illustration :
Vitalité Générale = 2500; Potentiel Lumineux = 2590; Bio-Photons = 5 u/sec/cm²	Vitalité Générale = 2250; Potentiel Lumineux = 2270; Bio-Photons de = 4 u/sec/cm²

Les méga-produits de ma serre et de mon jardin sont directement imputables à mon eau bien structurée qui a laissé son empreinte sur la tomate avec la double étoile à six pointes sous l'attache de la tige, comme preuve tangible.

Voici d'autres évaluations ➜ Les cultures industrielles de légumes et fruits à grands coups de pesticides, d'herbicides et de fertilisants chimiques révèlent une Vitalité Générale entre 750 et 1200, un Potentiel de Lumière entre 760 et 1210, des Bio-Photons inférieurs à 1 à 2 u/sec/cm² .

Et les OGM et semences "Terminator" avec leur Vitalité Générale moyenne entre 210 et 600, un Potentiel de Lumière entre 210 et 600, des Bio-Photons de 1 u/sec/2cm² .

Sans oublier les aliments préparés, en conserve, pré-cuits, les pâtes, les biscuits, les pains "industriels", etc. dont la Vitalité Générale moyenne est entre 110 et 200, avec un Potentiel de Lumière entre 90 et 180, des Bio-Photons de 1 u/sec/6cm^2.

Pour ce qui est de la viande, encore là, plusieurs variables se présentent.

Par exemple : le poulet élevé librement, dans la nature et nourri au grain. Sa Vitalité Générale varie de 700 à 950 et son Potentiel de Lumière de 720 à 980, ses Bio-Photons de 2 u/sec/cm^2 (après cuisson).

Par contre, le poulet de "prisons" industrielles présente une Vitalité Générale de 280 à 380 et un Potentiel de Lumière de 230 à 340, des Bio-Photons de 1 u/sec/2cm^2 (après cuisson).

Ainsi qu'on peut le constater, la qualité de Vie dans les aliments a été totalement ignorée par la science contemporaine, y compris par les agences de certifications et les différents paliers de gouvernements, encore plus à défaut, la science médicale actuelle, qui a manqué le bateau de LA VIE.

La Vie engendre la Vie et une cellule à laquelle nous donnons un bon environnement peut vivre éternellement. Mais voilà, nos épiceries regorgent d'OGM, de produits provenant de semences "Terminator" ou modifiées, puis irradiées, avec pesticides et herbicides, ajoutant la cuisson par micro-ondes.

Produisant des "zombies", maintenus dans une conscience lourde d'esclavage, subissant plus facilement les influences de la programmation sociale, etc., etc., etc., et considerez / rajoutez à ce cocktail :

✷ les OGM (organismes génétiquement modifiés);
✷ le micro-ondes (instrument, silencieusement sournois, d'euthanasie légalisée);

* les "fast foods";
* les quatre blancs (pain blanc, riz blanc, sucre blanc et farine blanche);
* Les eaux déminéralisées ou mortes;
* les sodas, les bières et vins acides;
* les drogues de toutes sortes (95 % des prescriptions et 98 % des drogues de loisirs);
* les salons de bronzage aux U.V. qui détruisent l'enveloppe électrique du corps physique et influencent négativement le doublage de l'ADN
* les pesticides, herbicides, aliments irradiés.

Et voilà le "kit" parfait pour une vie abrégée, au crochet — mais pas pour longtemps — de cette société en manque d'Amour et de conscience d'être.

Ah oui ! sans oublier les aimants dans les souliers, les matelas et sur le corps pour anesthésier les neurones... Et la "job" est faite... Bon voyage !

Pour les fervents bio-logiques, savez-vous qu'un aliment modifié génétiquement peut être quand même cultivé Bio ? Soyez vigilants.

Ce qui donne, entre autres, ce que j'appelle des tomates au goût de plastique, des concombres dont quelques tranches prennent trois (3) heures à être digérées, y ajoutant l'irradiation ... résultat:

* des fraises blanches à l'intérieur;
* des kiwis fades;
* des légumes, fruits, etc., qui se conservent jusqu'à deux mois sur le comptoir ou dans le frigo.

Voir des tomates un mois sur le bord de la fenêtre et qui, malgré tout, sont encore fermes bien que leurs graines commencent déjà à germer à l'intérieur de la tomate ... hum !

Mais, mon Dieu, où est-ce que l'Humanité s'en va ?

Il est plus que temps de prendre sa santé en mains, car c'est à chacun sa response-abilité ... habilité à répondre!

Chacun est le maître de sa réalité et de sa Vie. Alors la balle est dans votre cuisine et c'est là, que l'on peut apporter notre grain de "sel" de la Vie.

Utilisez votre pouvoir du Magnétisme de l'Amour pour transformer vos breuvages et aliments. Soyez à l'écoute de votre Coeur et installez, en vous, ces pensées:

- J'ai le droit au meilleur pour mon corps.
- Je suis constamment guidé pour le meilleur, dans tous les aspects de ma vie.
- Ainsi je peux partager le meilleur.

Par-delà les valeurs nutritives et traditionnelles de notre société, nous devons tenir compte des trois (3) sortes d'aliments et des trois (3) sortes de breuvages qui sont, soit :

- ✳ Régénéro-actifs = qui régénèrent la Vie,
- ✳ Généro-actifs = qui soutiennent la Vie,
- ✳ Dégénéro-actifs = qui drainent la Vie.

ou bien ce que nous portons à notre bouche

- ✳ régénère la Vie,
- ✳ soutient la Vie,
- ✳ ou draine la Vie.

À elle seule, cette approche pourrait faire un autre livre. Néanmoins, voici le tableau comparatif, en bref, de mon approche sur le sujet.

Tableau comparatif des modes :

Les Régénéro-actifs	Les Généro-actifs	Les Dégénéro-actifs
✓ Air pur au naturel ✓ Rare eau de source non contaminée	✓ Air peu pollué ✓ Eau avec une structure de 1 à 6 sur l'échelle de 10	✓ Air pollué ✓ Eau polluée Eau ✦ d'osmose renversée ✦ Distillée
✦ À peu près tout ce à quoi l'on ajoute le Magnétisme de l'Amour pour transformer la matière ✦ Eau hautement structurée avec un 7 ou plus sur l'échelle de structure organisée ✦ Aliments bien structurés ✦ Manger consciemment avec amour ✦ Préparations Dia-pathiques ✦ Les agro-alimentaires dans leur premier cycle de Vie ✦ Germinations • jaunes • vertes de moins de 7 jours ✦ Sel alcalin (Humeur Joyeuse)	✦ Les agro-alimentaires dans leur 2e cycle de Vie ✦ Algues marines ✦ Viandes au naturel, libre pâturage ✦ Poissons frais ✦ Les cuisinés avec amour ✦ Pollen d'abeilles ✦ Gelée royale naturelle ✦ Fruits et légumes au naturel ✦ Huiles essentielles ✦ Élixirs ✦ Pierres et cristaux ✦ Manger consciemment ✦ Produits naturels pour l'entretien du corps ✦ Sel marin non raffiné ✦ Teintures mères	✦ Déionisée ✦ traitée aux U.V. ✦ Ozonée ✦ Tout aliment irradié ✦ Aliments dans leur troisième cycle de Vie ✦ Tout ce qui est soumis au micro-ondes ✦ Tous les fast-foods ✦ MSG, OGM, EDTA ✦ Tartrazine ✦ 99% des aliments préparés - congelés ✦ 95 % des céréales commerciales ✦ 99 % des conserves ✦ Tous les médicaments chimiques ✦ Tous les produits de beauté, cosmétiques chimiques, teintures, etc. ✦ Vaccinations ✦ Anesthésies ✦ EMF et ELF ✦ Pesticides ✦ Herbicides ✦ Sel blanc raffiné de la terre ou de la mer ✦ Sucre, pain et riz blanc
Vitalité Générale de 7000 et plus Potentiel Lumineux de 7100 et plus	**Vitalité Générale de 800 à 6990 Potentiel Lumineux 810 à 7090**	**Vitalité Générale de 0 à 790 Potentiel Lumineux de 0 à 785**

Tous les autres paramètres sur l'alimentation viennent après, en importance.

Les secondes et minutes économisées en temps de cuisson avec le four micro-ondes sont autant de secondes et de minutes qu'une personne enlève à SA VIE.

La Force de Vie
et d'Amour Universel

C'est cette énergie qui nourrit toutes les formes de vie, tous les organismes, qu'ils soient animés ou inanimés, tels que : les plantes, les cristaux et les pierres. La force de vie et d'Amour Universel, c'est le bloc fondamental de la substance Vie en Action. Par delà les théories, les dogmes scientifiques, les suppléments encapsulés et les hormones de croissance, la Vie se vit dans la simplicité en harmonie avec la Nature au naturel.

Cette force énergie vitale n'obéit qu'au **Magnétisme de l'Amour** et non aux aimants et électro-aimants, ni aux ondes scalaires, ni aux électrolyses, appareils qui augmentent le pH de l'eau procurant une photo-copie du pH, n'apportant absolument rien de bénéfique et aucune substance pour le corps.

Chaque être humain est un chef-d'oeuvre de la Création, unique entité de Lumière et d'Amour. En tant qu'une expression et une extension de la Source de Tout ce qui Est (le Principe Amour), ... il a été créé pour célébrer la vie et manifester ses talents de créateurs / créatrices avec l'aide de son pyjama "hu-main". Chaque être "hu-main" est le porteur de toutes les énergies de l'univers en tant que maître de toutes ces énergies et de toutes les conditions, dans la mesure qu'il est en symbiose harmonique avec le Principe Amour.

Quels que soient l'invention ou l'appareil, chaque être humain est cela et plus – il ne peut créér une invention sans d'abord être cette invention et plus. Autant le corps humain peut générer son propre deutérium / eau lourde ($_2H_2O$), autant il peut même générer de l'ozone dans son atmosphère par le biais de ses centres énergétiques.

Il peut aussi transmuter la matière, non avec sa tête, mais bien avec l'intelligence du Coeur qui, elle, dirige la tête répondant aux lois naturelles et universelles par delà cette civilisation de "force et compression". Elle a toujours été – est – et sera la puissance du "Magnétisme de l'Amour" en tant qu'énergie créatrice et de soutien de la Vie.

Par delà les "billets à ordre" (dollars) illusoires et sans substance, l'énergie amour, force vitale, infini potentiel d'énergie est disponible sans réserve pour chaque unité de l'humanité. Choisir ses prioritiés, s'assumer ou se consumer. Donc, ... c'est quoi ta raison d'être sur cette station Terre? Esclave pour la survie ou maître de ta Vie, dans le respect de toutes les formes de vie ... frères et soeurs inclus.

Le Principe Amour nous habite, que l'on en soit conscient ou non, il n'en demeure pas moins, aussi bien en faire son allié, on a tout à gagner.

Le taux vibratoire de la planète augmente constamment et elle devient de plus en plus électrique à mesure que son champ magnétique diminue ... l'Amour Universel est à l'oeuvre.

Il en va de même pour l'être Humain qui a besoin d'être au diapason avec les énergies (taux vibratoire) terrestres, s'il veut rester en harmonie ou en santé via son Coeur Sacré.

Nous entrons dans une nouvelle phase de vibration magnétique qui change toute la membrane énergétique de la planète, ainsi que notre propre membrane.

Ces nouveaux champs magnétiques couplés avec le rayon aqua-turquoise pénètrent la molécule d'acide ribonucléique (ARN) qui ajuste l'intensité de ces champs magnétiques afin qu'il y ait davantage de formation d'ions négatifs et de production d'atomes d'hydrogène, qui est en relation avec le lien géométrique (onde de forme) de l'hexagone de l'ADN. Ceci a pour effet d'élever la conscience pour toutes les formes de vie organ-isée, incluant l'être humain, et contribue à augmenter aussi son taux vibratoire.

Donc, l'utilisation des aimants appliqués sur ou à proximité du corps viennent causer des interférences à l'alignement électro-magnétique naturel dans les changements Bio-Génétiques en cours chez l'être humain par le blocage ou l'interférence dans les fonctions de "l'acide ribonucléique". Cette interférence agit négativement sur la production des atomes d'hydrogène ... Eau de la vie avec la forme géométrique qui donne la vie : l'hexagone. Ceci a pour effet ou résultat final de densifier la conscience de l'être humain qui demeure dans sa "survie", plutôt que dans la pleine expression de sa Vie avec pré-disposition à des "mal-a-dit"; tôt ou tard immanquablement, ... car les aimants sont dégénéro-actifs de par leurs radiations électro-magnétiques de désintégration (mesurables en milligauss).

Avec ces changements vibratoires en cours, le corps humain devient de plus en plus électrifié. De par ma propre expérience, depuis janvier 2004, ... mon corps émet de l'ozone suffisamment pour que mon épouse puisse le percevoir dans notre salle de thérapie. Ce "phénomène" se produit une ou deux fois par semaine et d'une durée d'environ 5 à 10 minutes. Vient s'ajouter l'activation de nouveaux centres énergétiques dans mon corps ou nouveaux chakras situés à :

- 2 à 3 pouces au-dessus des chevilles;
- deux pouces au-dessus des poignets;
- le point siphoïde qui prend la forme d'un disque d'environ quatre pouces de diamètre;
- beaucoup d'activation énergétique au cervelet (medulla oblongata), de même qu'au thymus.

Pour nous et pour plusieurs, la transmutation est bien engagée, un "cas-d'eau" du ciel, et notre évolution est le résultat de l'intégration de la Lumière Vivante (Voir notre livre "Transmutation In Action"... en anglais pour le moment).

Certes, les formes de vie s'adaptent et évoluent selon leurs milieux. La question est :

- Comment fut manifesté chaque premier spécimen de chaque espèce des millions de formes de vie sur cette terre?

- Comment fut l'origine du premier couple de primates?

- Comment fut l'origine du premier oeuf?

L'être humain a été créé à l'image et à la ressemblance du "Principe Amour". Être le résultat d'un primate évolué (théorie darwinienne), c'est une insulte à l'Humain en tant que co-créateur de l'Univers.

Enseigner cette théorie darwinienne dans nos écoles est une aberration mentale, tuant dans l'oeuf l'aspect spirituel de l'être humain (sens spirituel exclut le religieux), car tout est Spirit-U-All.

Il serait bien plus bénéfique d'enseigner l'essence divine et le pouvoir inné en chaque enfant de l'Un, en tant que co-créateur de sa propre réalité, et d'accorder la priorité à l'intelligence du Coeur dont la tête mentalisante est au service.

Aussi il est à noter qu'il n'y a pas de manque dans l'Univers!

Enseigner aux enfants d'être à l'écoute de la nature et de leur corps pour ainsi se prendre en charge pour connaître les rudiments de leur propre corps et d'assumer leur propre "Response-Abilité". Mon corps, c'est mon véhicule dont je suis le maître ou l'esclave.

"Je m'assume ou je me consume"

Donc l'évolution, c'est la constante infusion et intégration de la Lumière Vivante. Être à l'image de la Source n'est pas suffisant. Nous devons être à la ressemblance ou similitude du continuum espace temps de la Lumière afin de régénérer l'image. Ainsi, il y a évolution dans le sens universel de la Vie par delà les concepts limitatifs planétaires tridimensionnels ... composé de 2% de matière et 98% d'espace qu'est la matière.

Avez-vous déjà pensé?

De remercier au moins une fois par jour toutes les fonctions et tous les organes de votre corps pour leurs oeuvres d'Amour, assumant le miracle de la Vie. Les milliards de cellules qui assument leurs fonctions sans avoir à intervenir, ... quel puissant ordinateur qu'est l'intelligence du "Coeur".

Chaque cellule créée représente l'organe à laquelle elle s'attachera. Si une cellule sort du champ vibratoire auquel elle appartient, alors elle s'attachera à un autre organe, ce qui résultera en des inharmonies physiques.

Ces inharmonies s'intensifieront à l'extrême, par différentes méthodes occultes de concentration à différents centres physiques ou organes. Cette pratique ne fait que surimposer une condition **hypnotique** plus définitive dans sa manifestation dans la forme, pour plus de résultats confus.

À propos de l'hypnose ➔ Il est important de considérer que - l'hypnose - est seulement une fonction d'un état de conscience spécialisé, à l'intérieur d'une forme ou d'une direction. Plus le champ d'une conscience segmentée est diversifié, plus hypnotique devient la condition.

La solution est de «focusser» sur le tout en tant que conscience globale, où la chose et l'observateur font un dans un unisson / fusion complets. Alors la distribution de l'énergie vibratoire est acheminée à travers le mécanisme de la conscience. Tout comme cela se produit pour le corps humain ... il se produit alors une parfaite synchronisation ou harmonie à travers tout l'organisme.

<u>Les faits précèdent le désir dans l'humain, car le désir est la reconnaissance du fait de son existence.</u> Donc, chaque chose ou fait imaginable existe déjà dans l'attente de son désir. Ainsi, la santé parfaite existe déjà, c'est seulement à travers ses pensées imparfaites (limitatives) que l'humain permet à la perfection de céder sa place à l'imperfection ou la « mal-a-dit ».

As-tu pensé aujourd'hui:

"À remercier la Mère Terre (et tous ses règnes) pour son hospitalité et pour son assistance à ton existence sur cette « station Terre ». "

"De remercier la Source de tout ce qui Est, pour l'air que tu respires en lisant ces lignes ... pour les battements de ton Coeur ... pour la Vie qui coule en toi."

Lorsqu'il n'y a plus de solution, la Source en ton Coeur a une solution, quel que soit ton projet. C'est gratuit, pas de TPS ni de TVQ.

Y as-tu pensé ?

L'Être Humain n'est pas un être physique qui a ou qui vit des expériences spirituelles, mais au contraire, il est un Être Spirituel qui vit des expériences matérielles ou physiques.

ᘓᘔ

Tout ce que j'entretiens, et qui fait que je ne me sens pas bien, fait partie des résistances, formes pensées qui m'empêchent de me raccorder au PRINCIPE AMOUR.

ᘓᘔ

À tout ce que l'on peut donner un nom, «la matière» ne provient pas de la matière mais du Principe Créatif, le PRINCIPE AMOUR.

ᘓᘔ

En changeant ma façon de regarder les choses, les choses vont m'apparaître différentes.

ᘓᘔ

La voie du bonheur n'est pas la Voie, le bonheur est la Voie, c'est-à-dire ton bonheur inné qui trace la Voie. D'où, ton bonheur est inné tout comme l'enfant dans l'innocence de sa joie. Donc, où est-elle cette innocence d'enfant ? Il me reste à enlever les voiles que j'ai permis aux grands de tisser sur mon innocence.

ᘓᘔ

Tout dans sa vie provient du champ énergétique de ses intentions. Chaque intention a son champ énergétique et lorsque je me branche à cette énergie du champ de l'intention, je peux alors manifester facilement le résultat de l'intention dans ma vie. Donc, une intention claire et précise engage un champ d'énergie manifestant clarté et précision.

ᘓᘔ

Se sentir bien c'est se sentir Divin, car le PRINCIPE AMOUR EST TOUJOURS BIEN. Lorsque je ne me sens pas bien, à qui ou à quoi ai-je donné la permission de déranger mon bien-être ? Lorsque malade, qui est-ce qui t'a donné la permission d'être malade ? C'est-à-dire de vivre l'expérience de la "mal-a-dit"?

Différentes méthodes pour programmer les eaux, aliments, etc.

Il existe plusieurs méthodes pour programmer , soit :
- de l'eau,
- un cristal,
- une pierre,
- une plante,
- un repas,
- un produit, etc.

Tout ce qui est à base d'eau et de minéraux est programmable, y compris le corps Humain.

Tout ce qui existe a déjà son programme original jusqu'à ce qu'il soit modifié par des conditions :
- chimiques,
- physiques,
  et/ou par
- l'être Humain, soit positivement, soit négativement.

La forme de vie la plus puissante, qui évolue sur terre, est le corps Humain et ce corps Humain est créé à ...

l'image et à la ressemblance de
la Source — LE CRÉATEUR —

... il possède aussi les mêmes attributs que sa Source, en plus petit format.

Quel que soit votre système de croyances, c'est un fait indéniable. Il en est ainsi.

À un moment donné, l'on cesse de chercher à y croire.

On Est
tout simplement !

Pourquoi pas ? c'est le même prix.

Aujourd'hui, on s'assume ou on se consume !

Eh! les amis, cela m'a pris quelques années pour passer outre, au-delà des dogmes et concepts limitatifs et ce qui m'a aidé fut de me dire « et si c'était possible ».

S'il y avait une autre vérité que ce qui est véhiculé depuis 2000 ans de limitations et d'esclavage.

Si, en moi, je pouvais éveiller cette force première innée, gratuite, quel que soit le système de croyances et aller au-delà des craintes et des peurs collectives.

Si je pouvais me brancher, sur la Source première de toutes vies, sans TPS, TVQ, TVH.

Si je pouvais me brancher comme tous les grands Maîtres qui sont venus à différentes occasions sur cette station planète Terre.

Je laisse au moins la porte ouverte, plutôt que de tout rejeter du revers de la main.

Pour en arriver à activer le « **Magnétisme de l'Amour** », cette force universelle gratuite, 25 heures par jour, éternellement, je joue le jeu. Je n'ai rien à perdre, au contraire, j'ai tout à gagner.

Donc, la première principale méthode pour programmer et/ou influencer la matière, c'est le Magnétisme de l'Amour avec

- l'intention
- la verbalisation
- bien centré (e) en son cœur

Deuxièmement :
Il y a, depuis environ 100 ans, une façon de programmer les ci-haut mentionnés reliés aux aimants et électro-aimants, qui sont des énergies secondaires ou dérivatives.

Pourquoi ?

Tous les aimants et électro-aimants sont le résultat d'une énergie électrique, la dernière phase de manifestation dans la matière. On ne peut donc pas générer, régénérer la vie à partir d'une énergie secondaire, surtout lorsque celle-ci est de 50 ou 60 cycles/sec, non compatible avec le corps Humain ou toute vie organique. Seul le 72 cycles est compatible.

Secundo, les aimants et électro-aimants ont une énergie :

- fixe,
- permanente,
- constante jusqu'à épuisement de leurs potentiels.

Toutes les cellules de *vie organique* sont en constante évolution, en changement chaque minute, heure et jour.

«Mais, Excelex, apparemment le champ magnétique terrestre baisse. Quoi faire ? »

Oui mais... ! *la Nature pourvoit une énergie polarisée intégrée au bénéfice de toutes les formes de Vie. Eh oui, le champ magnétique terrestre change et toutes les autres formes de vie s'y adaptent très bien. Pourquoi pas l'être Humain ?*

Tu ne vois pas les oiseaux ou les chiens, chats, etc., avoir recours aux aimants pour vivre sur terre actuellement.

Au fait, c'est ton choix d'utiliser des aimants ou d'activer le "magnétisme de ton amour". Dis-moi qui a le plus de chances de succès ?

Autres méthodes pour programmer :

- l'appareil électronique générateur d'ondes carrées, scalaires;
- l'électro-sons avec différentes fréquences hertziennes, lampes à plasma;
- la voix humaine (sons toniques) avec une intention noble;
- les écrits, les dessins de lignes de formes ou Yantra;
- le pendule et la radiesthésie;
- la programmation cristalline holographique;
- des géométries, telles une étoile à six pointes ou un hexagone faits à partir de poudre et/ou de granules de cristal de quartz;
- des couleurs spécifiques.

Voilà donc quelques façons de programmer ...

- eau,
- pierres, cristaux, minéraux,
- toutes vies organiques,
- aliments,
- ses propres cellules,

... en harmonie avec la Nature... ou en dis-harmonie. En symbiose avec la Source-de-tout-ce-qui-Est énergie primale ou en symbiose avec aimants, électro-aimants et/ou gadgets "man made", énergies dérivatives.

C'est à chacun son choix d'accueillir le plein potentiel de la VIE qui est l'AMOUR en action, en toute simplicité et en respectant la Mère Nature et ses règnes.

Je partage ici un moyen simple pour structurer eau et aliments, même pour vos énergies.

Une étoile à six pointes
de 6 à 12 pouces d'envergure

✦ Prenez un contre-plaqué (plywood ¼ po) de 8 à 14 pouces selon votre choix d'étoile.
✦ Couvrez-le d'un cuir ou d'un velours violet ou bleu.
✦ Tracez votre étoile à 6 pointes avec de la colle blanche non toxique
✦ Saupoudrez du quartz en poudre ou en granules sur la colle
✦ Pressez légèrement pour bien ancrer les cristaux
✦ Laissez sécher 12 heures

Puis, à vous de programmer les cristaux !

Comment faire ?

Simplement avec votre intention qui est (s'il vous plaît, verbalisez à haute voix).
a) Je remercie la force divine, en ce quartz, pour son don de vie et d'amour.
b) J'accueille, de cette force divine, le meilleur de son essence.
c) J'accueille de la Source, son Amour et sa Lumière en cette étoile, pour le meilleur pour moi et pour tous.

Merci à la Source omni-présente.

Faites un test : même avec une eau de municipalité.

✦ Placez un contenant de plastique ou en verre, plein d'eau (scellé hermétiquement), sur votre étoile (1 litre par exemple).

✦ Prenez un autre litre de la même eau et placez-le à une distance d'au moins 10 pieds de l'étoile. Et ce pour la nuit.

✦ Le lendemain matin ou après 24 heures, comparez le goût, la texture.

À titre d'information, tout comme une eau peut être programmée positivement, elle peut aussi être programmée négativement. Je connais deux marques populaires de France classées « eau minéralisée naturelle » et très, très populaires. Une autre est du Québec !

Quoi faire ?

✦ Suivez votre cœur;

✦ quelle que soit l'eau, ajoutez-y le magnétisme de votre amour.

«Ah!, Excelex, toi et ton magnétisme de l'Amour, c'est de la foutaise !»

Pour répondre à cette tête mentalisante, je l'invite à regarder les pages 111 et 112 du livre du Dr Emoto et à voir ce que l'innocence de l'amour d'un enfant peut faire à une eau distillée.

Alors, laissez donc couler le flot de votre amour tout comme lorsque vous étiez enfant, il n'y a pas si longtemps, souvenez-vous, avant d'être voilé par les adultes de l'époque ... avant d'avoir été voilé par les formes pensées limitatives socio-culturelles!

Une eau Vivante est une eau chargée de Force Vitale   (de particules Adamantines) et avec des minéraux au naturel.

C'est une eau de VIE qui soutient la VIE.
Les eaux super filtrées sont vides de polluants, mais aussi vides de VIE.

Ma recette pour un rajeunissement cellulaire, au naturel S.V.P.

En 1996, mes cheveux sont sel et poivre... sept ans plus tard, soit en juillet 2003, mes cheveux sont blonds à 70 %, comme à l'âge de 5 ans !

Avec plus de Vitalité Générale et un Potentiel Lumineux ou Bio-Photon à la hausse plutôt qu'à la baisse !

Certes, j'œuvre avec la Lumière Vivante — l'énergie cosmique pour certains — depuis 1989, et puis en l'an 2000, j'ai dévoilé cette habileté de voir mes chromosomes.

C'est en mai de l'an 2001 que j'ai porté mon attention directement sur ma régénérescence cellulaire.

De plus, j'ai également découvert les E.P.R. (TM) ou enzymes photo-réactifs.

« C'est quoi ça, les E.P.R.(TM) ? »

Dites-moi, cher lecteur, chère lectrice, qu'est-ce qui fait qu'une germination qui est jaune (par absence de lumière) devient verte en quelques heures lorsqu'elle est exposée au soleil ou même sous une simple lampe ?

C'est dû à la chlorophylle !

La chlorophylle est le résultat de la photo-synthèse, ok ...

Alors, qu'est-ce qui fait la photo-synthèse ?

La lumière ... !

Non. La lumière, c'est le(s) photon(s) ou énergie lumineuse !

C'est quoi alors ?

LES ENZYMES E.P.R. (™)

Ce sont des enzymes photo-réactifs qui ont cette propriété de transformer les photons en chlorophylle.

Ces E.P.R. (™), ou enzymes en pleine puissance et en plein potentiel de Force Vitale, sont activés par les extrémités des chromosomes appelées télomères qui émettent leur lumière Bio-Photonique; tout comme la Lumière Vivante ou Énergie Cosmique qui infuse un corps soit au sommeil ou qui reçoit cette Énergie lors d'un transfert d'énergie (thérapie).

Cette émission Bio-Photonique des télomères, c'est le langage silencieux de l'ADN.

Ce langage silencieux de l'ADN est celui qui informe les enzymes et toutes les fonctions intra-cellulaires de procéder à leurs fonctions spécifiques.

Certes, l'on peut manger ces germinations lorsqu'elles sont vertes mais, de **les manger lorsqu'elles sont jaunes**, c'est un avantage majeur à considérer pour notre régénérescence cellulaire.

Suite à cette découverte, j'ai entrepris d'en manger en moyenne, chaque jour, 300 grammes en buvant de l'eau structurée par mon système Hexahédron 999, tout en amenant mon corps à être alcalin.

Pour le reste, je mange des repas équilibrés et variés — viande incluse — avec Amour, en comme-union avec les éléments.

Après trois mois, la luminosité de mes chromosomes (télomères) a doublé. À ma grande surprise, mes cheveux blondissent davantage, pour revenir de plus en plus au naturel, comme à l'âge de 5 ans, fins et blonds. Idem pour mon épouse qui voit ses cheveux bruns foncés devenir d'un blond cuivré.

Pour nous deux, ça marche. Peut-être que ça pourrait aussi marcher pour les autres. Pourquoi pas ?

Je me dois d'ajouter que je pense toujours à magnétiser toute ma nourriture et mes breuvages avec le **Magnétisme de mon Amour**.

Oui manger, pour moi, c'est une « comme-union » avec la Source que je pratique depuis 1988 — c'est "sacro-saint" !

Autre chose : certes, de 1997 à 2001, je bénéficiais aussi des légumes de mon jardin. Mais, c'est seulement en 2001 que j'ai commencé à introduire de l'eau bien structurée à mon jardin et dans la serre, ce qui a certainement contribué à ma régénérescence cellulaire, car ces aliments sont devenus aussi structurés.

J'intègre ma relation avec la Source-de-tout-ce-qui-Est à ma vie de tous les jours depuis 1988. Ici, je ne fais aucune allusion à une quelconque religion ou secte, mais bien à notre CRÉATEUR

Le Principe Premier
ou
Le Principe Amour
en tant qu'agent libre souverain de l'Amour Divin.

Cher lecteur, chère lectrice, je ne vous demande pas de croire ou de réfuter ce que je vous partage. C'est ma réalité, je la vis et j'avais l'élan de vous la partager. Pas besoin de grandes théories ou de grands termes scientifiques, tout se vit dans la simplicité car la VIE, c'est « une célébration » et non une "mentalisation" bourrée de concepts limitatifs.

À l'intérieur de chacun, en son cœur, siège la vérité de la ...

VIE EN ACTION

... qui est l'Amour Divin en action ou, peut-être, simplement en dormance !

Cela m'a démontré que, pour une régénérescence cellulaire, il est impératif d'augmenter le taux vibratoire de ses cellules.

Oui, tout est énergie.
Oui, tout ce qui existe est de la Lumière condensée, son – vibration (énergie) / (énergie) couleur manifestés dans la forme.

Donc, chaque élément a sa propre
Vitalité Générale
et son
Potentiel de Lumière ou Bio-Photonique.

Il faut inclure l'eau porteuse de la Vie, ce H_2O, d'où l'hydrogène, cet élément qui porte dans sa structure atomique les lignes de forme ou la géométrie de la forme donnant la VIE, qui est l'HEXAGONE ou l'étoile à six pointes.

Au risque de me répéter, cette géométrie se retrouve dans l'arrangement de nos huit premières cellules situées au périnée et c'est à partir de cette géométrie que toutes les énergies du corps prennent source, pour rayonner à travers et tout autour de notre corps.

Donc, merci à la Source-de-tout-ce-qui-Est pour nous "allumer" à son Amour et à Sa Lumière, Son cas-d'eau pour nous tous.

Exemple de recette de cuisine médicinale

Avez-vous déjà cuisiné pour votre santé en tant que votre médecine? Je partage ici avec vous ma façon de préparer une sauce à spaghetti médicinale ... Voici ...

1. Tomates ... Certes, il y a les tomates – sauce aux tomates – pâtes et jus de tomates ... Ses vertus sont:
- minimise le risque de cancer;
- assiste à nettoyer les toxines;
- aide à prévenir les troubles digestifs;
- neutralise les acides uriques des viandes;
- riche en béta-carotène avec forte concentration de lycogène, ce qui lui prête ses vertus anti-cancéreuses.

"Un délice en soi"

2. Oignons ... Ses vertus sont:
- idéal pour la fièvre des foins, asthme, grippe et fièvre;
- anti-spasmodique pour le cerveau;
- idéal pour maux de tête;
- assiste les poumons, aidant à refaire les alvéoles pulmonaires;
- aide pour la haute pression artérielle, trouble cardio-vasculaire, bronchite, flegme;
- Un puissant anti-oxydant.

"Puissance Angélique"

3. Ail ... Ses vertus sont:
- idéal pour l'arthrite, artériosclérose, haute pression artérielle, diabète, hypoglycémie, désordre gastro-intestinal, fongus, candidose, asthme, bronchite, pneumonie, allergies, cancer;
- stimule le système immunitaire et la rate – un anti-oxydant.

"C'est de la vie en action"

4. Céleri ... Ses vertus sont:
- réduit la tension artérielle;
- assiste les reins et le foie dans leurs fonctions;
- excellent diurétique et digestif;
- assiste le système nerveux;
- assiste les cancéreux;
- augmente la libido;
- assiste à l'équilibre alcalin.

"La Branche de Vie"

5. Carotte ... Ses vertus sont:
- anti-oxydant, riche en béta-carotène;
- assiste la vue et pour une peau saine;
- excellente pour le Coeur;
- stimule l'appétit;
- aide à stopper la diarrhée;
- prévient les infections des yeux et des muqueuses;
- réduit le risque de cancer et désordre du côlon.

"Nectar du Soleil Couchant"

6. Poivrons Rouges ou Verts ... Leurs vertus sont:
- conviennent à toutes les formes d'inharmonies physiques;
- riches en vitamine C.

"Un bon goût de vert-dure, un parfum exquis"

7. Persil ... Ses vertus sont:
- aide aux fonctions rénales, vessie, prostate, glandes, surrénales et thyroïde;
- dissout l'acide urique;
- équilibre les vitamines;
- excellent diurétique et digestif;
- augmente le potentiel des fonctions organiques.

"Une fine herbe à tout faire"

8. Basilic ... Ses vertus sont:
- un désinfectant naturel;
- stimule le système pulmonaire, la rate, le gros intestin, l'estomac;
- contre les parasites intestinaux.

"Un Basilic plus que religieusement sain"

9. Feuille de Laurier ... Ses vertus sont:
- assiste à mieux gérer le stress;
- aide à combattre les infections.

"Couronne une assiette Divinement Bonne"

10. Marjolaine ... Ses vertus sont:
- idéale pour la fièvre;
- refroidissement;
- grippe;
- jaunisse et vomissement.

"Un parfum floral hors pair"

11. Poivre de Cayenne ... Ses vertus sont:
- excellent pour la circulation sanguine, le coeur, le côlon;
- bon réchauffeur;
- assiste à l'équilibre alcalin.

"L'éveilleur des sens"

12. Romarin (Rosemary en anglais**)** ... Ses vertus sont:
- prévient les empoisonnements et les infections;
- assiste pour les maux de tête.

"Après la rose vient le parfum de la Rose-Marie"

13. Thym ... Ses vertus sont:
- superbe pour les bronchites, laryngites et toux;
- protège des radicaux libres;
- protége le cerveau, le foie, les reins, le coeur et les rétines;
- utilisé aussi avec d'autres ingrédients pour les parasites intestinaux – un anti-oxydant.

"Une pincée de thym en temps"

14. Quinoa ... Ses vertus sont:
- le seul aliment qui offre tous les 28 acides aminés, précurseurs des protéines.

"L'ami de mon ADN"

15. Millet ... Ses vertus sont:
- une bonne source de silice organique (et plusieurs minéraux) pour mieux assimiler les minéraux.

"Pour mon sang cristallin"

16. Champignon ... Ses vertus sont:
- éclaircit le sang;
- réduit la pression artérielle;
- prévient le cancer;
- stimule le système immunitaire;
- désamorce les virus;
- prévient les tumeurs et les caillots de sang.

"Le champ-pignon dans mon assiette"

17. Sel Naturel de Bretagne & "Sel Joyeux" ... Ses vertus sont:
- apporte ses 80 minéraux et les éléments-traces de la mer;
- fortifiant pour le corps;
- assiste à alcaliniser;
- ne retient pas l'eau dans le corps contrairement au sel blanc raffiné;
- puissant anti-oxydant (surtout le "Sel Joyeux").

"Sel de Sagesse et de Vie"

18. Boeuf Haché (option) ... Ses vertus sont:
- pour plus de protéines et vitamines B;
- assiste pour mieux s'enraciner.

Il faut éviter les emballages cryovac (surgelé) et choisir une source de viande bien vieillie naturellement.

"Faire comme-union avec tous les éléments, incluant la communion avec le règne animal"

Je remercie la Source de tout ce qui Est... la Mère Terre et tous ses règnes pour tous ces "Cas-d'Eau" de vie et son abondance, et

... j'accueille le meilleur de vos Essences de Vie pour moi et pour tous ceux avec qui je partagerai cette sauce à spaghetti Divinement chargée de mon Amour et de ma Lumière. Au choix ... sur l'assiette de cette substance d'Amour, j'ajoute fromage parmesan ou mozzarella pour le calcium, les protéines et VOILÀ ! c'est servi. Il en est ainsi fait!

Tout ce qui manque pour bien compléter ce mets, ce sont les enzymes. Voici quelques sources d'enzymes au naturel :
- 1 c. à thé de pollen d'abeille à prendre après le repas, suivi d'un verre d'eau;
- ou morceaux, au choix, d'ananas, mangue, papaye, banane;
- ou une poignée de luzerne germée;
- ou une petite salade verte comme entrée.

Note: "Avec chaque repas cuit, ça prend du cru".

Un corps alcalin,
Mythe ou vérité ?

Encore ici, plusieurs écoles de pensée optent soit pour ou contre un corps alcalin.

Suite à mes expériences, à mon vécu, un corps Humain alcalin, c'est un corps sain. Un corps alcalin implique la présence de tous les minéraux "au naturel" et non une photocopie du pH, tel que présenté par les réioniseurs d'eau.

Prenons l'exemple d'un œuf. Oui, un simple œuf qui révèle sa vérité.

Le pH d'un blanc d'œuf est de 9 à 9,5, donc alcalin, tandis que le jaune d'œuf a un pH de 6,5 (±.1).

Lorsqu'on sait que le pH signifie le Potentiel d'hydrogène, d'où "Hydro" du grec EAU et "Gène" du grec Genes, la vie. Donc :

Hydrogène = « Eau de Vie » (Eau de gène)

(excluant l'alcool qui est acide donc : l'oxygène brûle les gènes, donc "eau de mort".). Hydro-gène est Régénéro-Actif.

On est en mesure de se poser la question : Pourquoi en est-il ainsi de la nature pour l'oeuf?

Voici pourquoi !

Le blanc d'œuf avec son pH alcalin de 9 à 9,5 ...

a) protège le jaune d'œuf des bactéries, virus, microbes, etc.

b) est riche en hydrogène, donc riche de la forme qui donne la vie et en éléments nutritifs, minéraux, etc. pour nourrir le jaune d'œuf travaillant à former des millions de nouvelles cellules : celles du poussin.

<u>Ce qui révèle que l'alcalinité favorise la vie.</u>

Il en va de même pour le corps Humain : il a besoin d'un pH alcalin en équilibre car trop alcalin peut être aussi néfaste qu'un corps trop acide.

Aussi l'hydrogène porte dans sa structure atomique l'Hexagone ou la forme qui donne la Vie. Pensez aux rûches d'abeilles avec leurs alvéoles hexagonales.

Lorsqu'il y a présence de minéraux, cela favorise tout l'organisme à devenir alcalin, c'est la propriété naturelle des minéraux de rendre alcalin.

Ce qui est alcalin, donc minéralisé, en équilibre S.V.P., va retenir ou stocker

La Force Vitale
et aussi polariser
cette Force Vitale

Toute déficience de quel que minéral que ce soit a un impact direct sur la santé du :

✶ corps Humain,
✶ de tout organisme vivant.

Retirez tous les minéraux de la terre et il n'y aura plus de Vie
"ORGANE – ISÉE"

Ceux qui prônent l'excuse que les eaux dures sont néfastes pour le corps et sont riches, soit en calcaire, fer, soufre, magnésium, n'ont pas tout à fait tort. Il y a une certaine vérité là-dedans. Mais, de là à enlever tous les minéraux et d'en faire des eaux mortes, il y a une marge.

Voici une application qui convient à l'utilisation d'un système d'osmose inversée ou à une eau distillée.

Exemple : Votre eau de puits est trop riche en certains minéraux ? Diluez-la avec de l'eau distillée ou de l'eau d'osmose inversée dans le pourcentage de 50/50, 40/60 ou 30/70. Vous bénéficierez alors du meilleur des deux mondes en réintégrant ainsi la Force Vitale aux eaux mortes super filtrées qui sont aussi acides et en les aidant à devenir légèrement alcalines.

Autre exemple pour l'avantage d'un corps alcalin, sain.

Vous avez certainement déjà entendu parler des ravages occasionnés par les pluies acides dans nos forêts et particulièrement dans les érablières ?

Eh bien, sachez qu'il en va de même pour le corps Humain (qui a un sang alcalin, soit autour de 7,35).

Ce qui est acide égale Oxygène : du grec

oxy = brûler, composter, rouille, fermentation
gènes = gène propre à la Vie
Oxy-gène = « brûler les gènes »

… donc l'oxygène, c'est Dégénéro-Actif et favorise un corps ou organe-isme à être acide.

Éthymologie de l'Oxygène ...

Du grec: Oxy = Acide - Brûler - Rouille - Fermentation
Gènes = Gène propre à la Vie

Oxy-gène = "Brûler les Gènes"

Éthymologie de l'Hydrogène ...

Du grec: Hydro = Eau
Gènes = Gène propre à la Vie

Hydro-gène = "d'où Eau de Gènes" ou "Eau de Vie"

Ce qui reflète le principe de Vie Embryonnaire pour la majorité des espèces en vie sur terre.

Exemple:

Le pH du BLANC d'oeuf est de 9 - 9.5
...
Le pH du JAUNE d'oeuf est de 6.5

Le blanc d'oeuf avec son pH de 9 – 9.5 (pH = Potentiel d'Hydrogène – "Eau de Gènes") protége le jaune d'oeuf des bactéries et virus tout en nourrissant ce jaune d'oeuf qui sert à fabriquer les millions de cellules du poussin à venir. Plus le potentiel d'Hydrogène (pH) est élevé, plus son environnement est alcalin.

pH = Potentiel d'Hydrogène

La matrice de l'Hydrogène (pH alcalin) est porteuse et protectrice de la Vie ... car sa géométrie atomique cellulaire est l'Hexagone ou l'Étoile à Six Pointes de la "FORME QUI DONNE LA VIE".

Méthode pour rendre un corps alcalin

D'abord, voici comment vérifier le pH de son corps. Il est impératif pour chacun(e) de faire l'évaluation du pH de son corps sur une base régulière, soit en utilisant :

✳ un papier tournesol gradué en décimales, soit 0,2 :
   Exemple : 6 – 6,2 – 6,4 – 6,6
✳ un pH-mètre numérique (dans les magasins spécialisés hydroponiques),
✳ son écoute intérieure.

Puis de prendre les mesures nécessaires pour ajuster son pH.

La lecture du pH se fait soit par un échantillonnage de :

✳ l'urine matinale,
✳ la salive matinale (avant le brossage des dents),

Ou bien en combinant les deux lectures et en divisant par deux pour obtenir la moyenne qui devrait se situer entre 6,8 et 7,2 (le pH idéal).

Pour rendre son corps alcalin, ce dont 90 % de la population a besoin, moins de 10 % de celle-ci étant naturellement alcaline :

Consommer des aliments de nature alcaline, sans s'y limiter. Voici une liste :

- le citron,
- les figues,
- les dattes,
- les abricots,
- les raisins secs,
- le yogourt naturel, S.V.P.,
- les produits laitiers,
- les amandes,
- les verdures et les légumes de terre,
- les algues marines, exemple : le lithothamnium,
- les germinations, exemple : la luzerne germée,
- le sel marin non raffiné,
- notre sel "Humeur Joyeuse"
- consommer 10 à 15 amandes par jour.

"Sel Joyeux" ... Un sel naturel de la mer et de la terre hautement alcalin. Prendre 1 ou 2 bains de 30 minutes (par semaine) avec 1 cuillère à table rase de ce sel peut augmenter le pH jusqu'à 0.8 (Exemple : passant de 6 à 6.8). Il ne faut donc pas en abuser. Il est également recommandé pour la cuisson et aussi en ajouter à l'eau à raison d'une pincée par 8 onces d'eau. Dose quotidienne max : 1/3 c. à thé par jour.

- 1 c. à thé rase par bain pour un poids de 90 à 125 lb
- 1 c. à soupe rase pour un poids de 130 à 250 lb.

Voir le livre *"Alcalanize or Die"* par le Dr Moody.

- Boire de l'eau alcaline avec ses minéraux au naturel ayant un pH de 7,2 à 8,2.
- Se donner un masque complet pour le corps avec de l'argile, (au naturel S.V.P.), voire une fois par mois, est super tonifiant.

Note importante ici : il est sage de considérer la silice organique qui assiste à l'absorption des minéraux dans le corps. La silice organique se retrouve entre autres dans :

- la prêle, du printemps jusqu'à la fin de juin, après quoi elle est transformée en silice minérale qui n'est pas idéale pour le corps Humain;
- le millet,
- l'orge,
- le lithothamnium, les algues marines,
- etc., etc.

> Les états d'humeur ont une influence majeure sur l'alcalinité ou l'acidité du corps Humain.
>
> Exemple : une personne joyeuse, aimant la vie, a plus de chances d'avoir un corps alcalin.

Certes, le sujet peut être élaboré et pourrait faire l'objet, à lui seul, d'un autre livre en soi, tel que celui du Dr Moody !

J'ai partagé quelques informations sur l'idée d'un corps alcalin, car c'est ...

SAIN ... SAIN ... SAINT

Maintenant, c'est Ton choix, mon ami !

> Un corps alcalin en équilibre, c'est sain.
>
> Quiconque parle de santé se doit, à prime abord, de prioriser un corps alcalin.
>
> C'est une condition "sine qua none".

Un corps alcalin en équilibre est un corps porteur de la Vie, un corps sain. Ajoutez-y une eau hautement structurée et les cellules seront aussi structurées, porteuses de la forme qui donne la Vie ... autant pour le corps humain que pour toutes les formes de Vie organ-isées.

Rayonnement d'un corps minéralisé, alcalin, en équilibre, rayonnant de ses BIO-PHOTONS

No 1 Corps rayonnant de Vie / Consommant de l'eau structurée et de la nourriture structurée.

No 2 Corps en manque de Vie / Consommant de l'eau dénaturée super filtrée et de la nourriture morte, des OGM, des irradiés, du "fast food", et utilisant le four micro-ondes, etc.

Le rayonnement du corps numéro 1 est dû à l'augmentation des bio-Photons aux télomères qui, à raison de 110 jusqu'à 200 unités Bio-Photons par seconde par cm^2 , favorise l'ingestion de la
Forme qui donne la Vie — l'Hexagone !

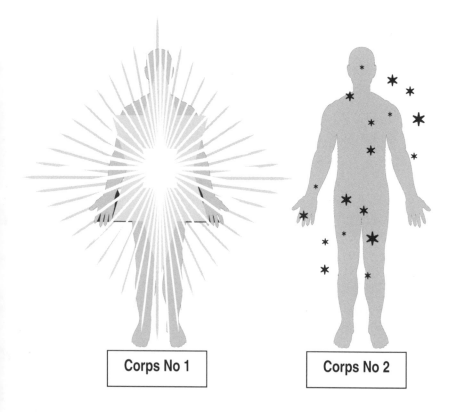

| Corps No 1 | Corps No 2 |

Toute les formes de vie ont besoin de la Lumière !

**À partir de l'Ultra-Photon
au photon du soleil,
au photon de la lune,
au photon de nos éclairages,
La Lumière est la Force Créatrice de l'Univers.**

Chaque forme de Vie a sa Lumière qui fondamentalement est le rayonnement Bio-Photonique de la Vie en Action ... Lorsque les Bio-Photons cessent, la vie cesse.

Étant donné que la Lumière est la Force Créatrice de l'Univers,

Étant donné que la Lumière est dans toutes les Formes de Vie,

Étant donné que toutes les formes de vie sont dépendantes de la Lumière, car c'est ce qui les soutient dans l'apparence d'une forme individuelle,

Étant donné que l'Omni-Présence de Dieu est partout et tous les Bio-Photons sont partout, ne se pourrait-il pas que les Bio-Photons soient la présence manifestée de Dieu ou l'unique Esprit dans la matière ?

D'où l'intégration des Ultra-Photons via nos lignes de forme et l'ingestion d'aliments et de breuvages riches en Bio-Photons seraient la clef pour notre régénérescence cellulaire.

Partant du nouveau-né, qui peut rayonner plus de 200u/sec/cm^2, par rapport au vieillard, qui rayonne moins de 50u/sec/cm^2, ayant passé le stade adulte avec ses 80 à 120u/sec/cm^2, il y a une simple mathématique.

Ainsi, pour ma régénérescence cellulaire, c'est par l'augmentation du rayonnement de mes Bio-Photons, visant l'objectif de plus de 200u/sec/cm^2.

Donc, l'évolution de toutes les formes de Vie est directement liée au potentiel de la Lumière intégrée dans et par les chromosomes ou Chromo-Zones ... ces Zones de Couleurs.

Il en est ainsi fait.

" Chez l'humain, les faits précèdent le désir car le désir est la reconnaissance du fait et de son existence. Ainsi tout fait ou chose existent déjà dans l'attente d'un désir.

Rien ne vieillit excepté à travers le concept que l'humain lui prête. La vie ne peut se mesurer que par la vie, et la vie est toujours éternellement présente et sans limite. Le temps, c'est la convenance et les limitations que l'humain établit sur la forme.

La santé parfaite existe déjà, c'est seulement à travers ses pensées limitatives que l'humain permet à la perfection de céder sa place, à l'imperfection."

Bard T. Spalding ~ "Livre des Maîtres"

Les triades de la santé

PREMIÈRE ULTIME TRIADE

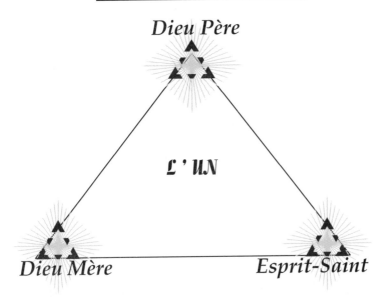

Dieu Père

L ' UN

Dieu Mère *Esprit-Saint*

L'Esprit UN, manifesté par +7000 couleurs, sons, énergies, vibrations ou Langage de Lumière, est la substance première ou Force Vitale et crée l'Amour de la Vie et l'Amour, c'est la Vie.

La Trinité :
Dieu Père ~ Dieu Mère ~ Esprit-Saint
Ou, si tu préfères, la Source de tout ce qui est!

Ben non ! Je ne parle pas de religion, donne lui le nom qui te convient, peu importe.

PREMIÈRE TRIADE DANS LA MATIÈRE
ou la 3e dimension

La base du soutien de la Vie qui est l'Amour en Action

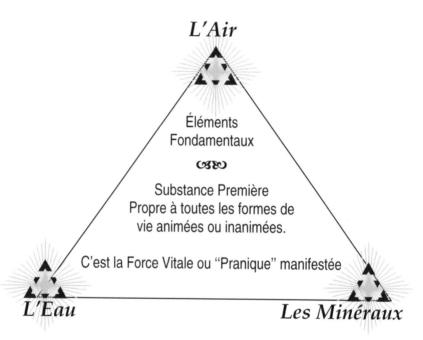

L'Air

Éléments
Fondamentaux

☙❧

Substance Première
Propre à toutes les formes de
vie animées ou inanimées.

C'est la Force Vitale ou "Pranique" manifestée

L'Eau   *Les Minéraux*

L'Air a sa Force Vitale
L'Eau a sa Force Vitale
Chacun des 144 éléments minéraux a sa Force Vitale
(Il a plus d'éléments que dans le tableau de Mendeleïev)

Ce sont les premiers ingrédients de toutes les formes de Vie, du grain de sable à l'éléphant, à l'Humain.

Ces trois (3) premiers ingrédients ont besoin d'être chargés de Force Vitale et doivent être hautement vibratoires : "chargés de Bio-Photons" (Bio = Biologique et Photons = Lumière de la Vie)

Les voici!

L'Air	L'Eau	Les Minéraux
✦Premièrement, respirer sous le diaphragme ✦Respirer consciemment ✦Activer ses centres d'énergies ou Chakras pour dégager de l'ozone — oui, il est possible pour l'être Humain de transformer son atmosphère ✦Bain d'air pur dans la Nature.	Il y a les eaux mortes Dégénéro-actives, Acides : ✦d'osmose inversée ✦déionisées ✦déminéralisées ✦traitées aux U.V. ✦distillées Il y a les eaux vivantes Régénéro-actives ou structurées, incluant plusieurs niveaux d'organisation Structurée: ✦simple ✦complexe ✦très complexe Une eau vivante est chargée de Force Vitale et de Bio-Photons C'est ton choix	Au naturel SVP ✦sel de mer naturel ✦algues marines ✦légumes de terre ✦ "Sel Joyeux" alcalin ✦fruits ✦sève d'arbres: bouleau- érable ✦viandes, poissons ✦produits laitiers ✦pollen d'abeilles ✦germinations ✦et autres

Dans et pour tout ce qui vit, les Bio-Photons peuvent être mesurés et quantifiés en unité/seconde/cm^2

DEUXIÈME TRIADE DANS LA MATIÈRE
ou la 3e dimension

Enzymes

*Notre mission
pour l'Humanité
est de:*

*hausser le taux vibratoire
de l'ordre inférieur des concepts
de la matière*

Acides Aminés   *Vitamines*

AU NATUREL SVP

Enzymes	Acides aminés	Vitamines
Les enzymes les plus puissants générateurs cellulaires **Les P.R.E.** ™ Enzymes photo-réactifs se retrouvent principalement dans ✦les germinations "jaunes", avant d'être exposées à la lumière; ✦les agro-alimentaires ✦banane, papaye, mangues, ananas **À éviter :** ✦les produits irradiés et OGM	La meilleure source d'acides aminés: ✦le quinoa avec ses 28 acides aminés puis ✦le pollen d'abeilles; ✦le miel non pasteurisé; ✦les grains entiers, libres d'OGM et de radiations; ✦les viandes et poissons.	Les meilleures sources sont: ✦les fruits et légumes frais; ✦les germinations; ✦les viandes et poissons.

Qui se retrouvent dans la Troisième Triade suivante

TROISIÈME TRIADE DANS LA MATIÈRE
ou la 3ᵉ dimension

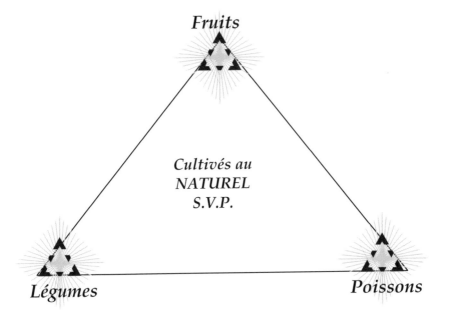

Fruits

Cultivés au
NATUREL
S.V.P.

Légumes

Poissons

Tout le reste vient après
- les suppléments,
- les oméga,
- les glucides,
- les hydrates de carbone,
- les calories,
- etc., etc., etc.

Rappelez-vous que les suppléments sont nommés suppléments pour le temps nécessaire à rétablir l'équilibre de ses déficiences, à travers une alimentation équilibrée et vivante. À éviter, les produits irradiés et OGM.

Puis, comme déjà mentionné, il y a les minéraux **au naturel SVP** :

✳ les sels marins non raffinés * :

✳ notre sel naturel alcalin *"Sel Joyeux"* *;

✳ les algues marines* :

✳ les légumes cultivés au naturel;

✳ le pollen d'abeilles;

✳ etc.

* Ces trois premiers, d'après mes expériences en laboratoire, ont révélé beaucoup de particules Adamantines. Les ajoutant à de l'eau distillée (qui n'a aucune Force Vitale), j'ai pu vérifier la concentration de Force Vitale par 5 grammes de ces substances.

Si vous voulez conserver les minéraux dans votre corps, évitez tous les produits en épicerie, qui contiennent ce produit **"EDTA"** utilisé comme agent de conservation.

EDTA se retrouve dans de plus en plus de produits, incluant ... mayonnaise, "salad dressing", thé embouteillé Lipton, boisson gazeuse Mountain Dew, dans les conserves, etc. ... Soyez vigilant, un produit qui n'en avait pas hier peut avoir de l'EDTA aujourd'hui.

Pour le bien-être de votre système nerveux, évitez tous les produits contenant de la **TARTRAZINE**. Un colorant qui remplace la béta-carotène.

Sans compter le **MSG** qui est très néfaste pour l'ensemble de l'organisme humain, camouflé sous des noms tels que: protéines de légumes hydrolysées, protéines animales hydrolysées, protéines de soya hydrolysées saveur naturelle. Pour les produits laitiers, ils utilisent le terme "caséine caséinate" (ex. pour les crèmes glacées). C'est fou ce que certaines compagnies peuvent essayer de nous refiler au profit de "leur porte – monnaie".

Savourez un hamburger ou un poulet frit, à l'occasion d'accord, mais de prime abord :

- cuisinez avec amour;
- mangez avec amour;
- remerciez la Source-de-tout-ce-qui-Est;
- et remerciez la Mère-Terre et tous ses règnes pour leurs dons de Vie en action, qui est l'Amour en action.

Chaque bouchée, chaque gorgée est une *comme-union* avec la Source-de-tout-ce-qui-Est. Croyez-le ou non, il en est ainsi.

A-men
A-wo-men

À propos des viandes, au risque d'en déranger plusieurs avec ce qui se joue sur la planète actuellement, très peu de gens sont prêts à être végétariens, encore moins à être Végan.

L'idée est noble et certes l'intention est noble, mais souvenez-vous que le corps Humain est le seul à pouvoir recevoir la Lumière Vivante ou Super-Lumineuse en son intégrité et sa puissance dans ce monde de la troisième dimension. Après avoir partagé avec plus de 10 000 personnes venues me consulter depuis 1989, 95 % de ceux et celles qui étaient végétariens et/ou végan n'habitaient pas leur corps physique, ou bien ils étaient dans l'émotionnel, le mental ou l'astral, avec comme résultats :

- faiblesse,
- anémie,
- pieds froids,
- manque d'équilibre,
- tendance dépressive,
- trop maigres,
- ongles striés,
- facilement influençables,
- énergie du corps déphasée,
- Vitalité Générale et Potentiel Lumineux inférieurs à 800.

Bien sûr, il y a quelques exceptions qui savent bien équilibrer leur diète avec de bons résultats. Souvent, ces gens préconisent leur mode de vie comme l'ultime...

Ce qui importe, ici, **c'est d'écouter votre cœur avant d'écouter** la tête. Chacun est unique et chacun a "sa" vérité, tout comme je vous partage la mienne.

En bref, manger et boire, c'est une *"comme-union"* en équilibre avec tous les éléments et aliments.

Il est préférable de manger un steak avec Amour qu'un repas végétarien dans un état de frustration ou en soumission par "habitude", parce que d'autres ont dit que.... !

Ainsi, au lieu de penser steak, poulet, poisson, riz, légumes, fruits, etc., pourquoi ne pas penser que chaque aliment est une substance d'amour, de lumière, d'énergie, de son, et de couleur, et de vibration manifestée dans la forme, qui vient s'ajouter à vos cellules qui sont amour, lumière, énergie, son, couleur et vibration ?

Il en est ainsi.

Maintenant, c'est votre choix

Le Corps devient ce qu'on lui donne. Il en est de même pour tous les organismes vivants.

Après l'air, l'eau est le principal élément nutritif. L'eau, cette porteuse de Vie, ce cristal liquide programmable, ce "cas-d'eau" du ciel. C'est un pensez-y bien !

La science actuelle a pris un mauvais tournant en confondant une eau pure à une eau totalement déminéralisée.

Réveillez-vous, frères et sœurs, avant qu'il ne soit trop tard. Considérez le plein bon sens. Utilisez le magnétisme de votre Amour et "chargez" votre
- eau,
- tous vos breuvages,
- tous vos aliments.

Ou bien l'on s'assume; ou bien l'on se consume !

Il existe une Loi Universelle qui est le libre arbitre. Chacun est libre de faire selon son choix et de se prendre en main ou non. En fait, on a chacun le choix de s'assumer ou de se consumer !

Alors, qui croire, avec tout ce qui se véhicule à propos de l'eau, de la nourriture, des diètes ?

C'est bien simple : **_écoute ton Cœur_**. Le plein bon sens naturel, en harmonie avec la Mère Nature et la Source-de-tout-ce-qui-Est, c'est ton choix !

Lorsqu'au fond de toi-même, tu peux entendre ou ressentir ce qui "vibre" avec ton être, pour ton être ... alors, c'est ta vérité du moment. Demain, ta vérité évoluera au fil de tes besoins du moment. Ainsi va la Vie, en toute simplicité. Célébrer la Vie dans l'équilibre de ses sens ... ça plus de bon sens!

C'est gratuit et non taxable!

Conclusion

J'ai suffisamment d'informations pour écrire plusieurs volumes sur ce que nous avons vécu, mon épouse et moi, durant nos 15 dernières années, à propos de vivre en harmonie avec la Mère-Terre. Avec un contact conscient avec notre Créateur (sans aucune connotation religieuse ou de culte); car chacun, en cette Humanité, est un agent libre de l'Amour Divin.

Il y a cette force, cet Amour Universel, qui coule en chacun de nous à la condition de "la" reconnaître et d'œuvrer avec elle.

Oui, œuvrer avec les Essences de la Vie tout, comme les Esséniens. Mot qui, comme vous le constatez, vient de Essence-in.

Alors, pour ma vie, je m'en tiens à l'Essence-Ciel.

Ma "co-naissance" avec l'eau n'est qu'une brèche dans toute la vérité à propos de l'eau : cette Vie en action, ce "cristal liquide".

Paix, Amour, Harmonie. Ce que l'on vous souhaite est le paradis ajouté à votre quotidien, chacun étant l'artisan de sa Vie et de sa réalité ... dans l'instant présent.

Merci à la Source
E. Excelex

La Galerie de Photos Couleurs

Dessin Chromosomes
La Vie en Action

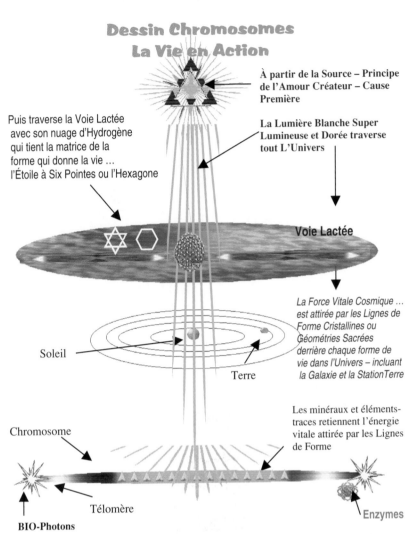

À partir de la Source – Principe de l'Amour Créateur – Cause Première

La Lumière Blanche Super Lumineuse et Dorée traverse tout L'Univers

Puis traverse la Voie Lactée avec son nuage d'Hydrogène qui tient la matrice de la forme qui donne la vie ... l'Étoile à Six Pointes ou l'Hexagone

Voie Lactée

La Force Vitale Cosmique ... est attirée par les Lignes de Forme Cristallines ou Géométries Sacrées derrière chaque forme de vie dans l'Univers – incluant la Galaxie et la StationTerre

Soleil

Terre

Les minéraux et éléments-traces retiennent l'énergie vitale attirée par les Lignes de Forme

Chromosome

Télomère

Enzymes

BIO-Photons

Les Lignes de Forme, derrière les chromosomes et toutes les formes de vie et éléments naturels, agissent comme une antenne pour polariser (attirer) la FORCE VITALE COSMIQUE ou UNIVERSELLE ... Cette force vitale est transmise aux chromosomes et est retenue par les minéraux en équilibre dans les chromosomes et spécifiquement pour chaque forme de vie ... La cristallinité des chromosomes émet cette force vitale au bout du chromosome, aux télomères qui rayonnent une Lumière nommée BIO-Photons pour le langage silencieux de l'ADN et pour toutes les fonctions intracellulaires . Un BIO-Photon est la luminosité équivalente à une chandelle allumée à une distance de 10 kilomètres. Cette luminosité est mesurée par la science moderne en unité par seconde par centimètre carré (u/sec/cm²).

Chromo-Zomes = Zones de Couleur ou Zones de Lumière

Dessin d'une Eau Structurée :

Passant d'une simple structure à des structures organisées de plus en plus complexes.

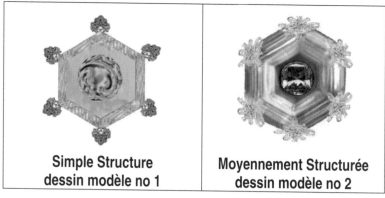

Simple Structure
dessin modèle no 1

Moyennement Structurée
dessin modèle no 2

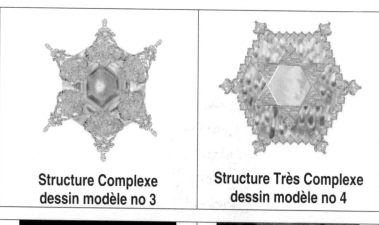

Structure Complexe
dessin modèle no 3

Structure Très Complexe
dessin modèle no 4

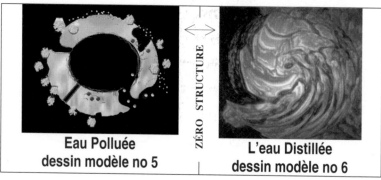

Eau Polluée
dessin modèle no 5

ZÉRO STRUCTURE

L'eau Distillée
dessin modèle no 6

Roses Coupées

Voir page 134

Géraniums

plus de 5 pi

Voir page 135

Pétunias

Fleurs de 4 po

Voir page 135

**Feuille
du cornichon**

12 po (30 cm)

Voir page 137

Bardane

36 pouces
(presque 1 mètre)

Voir page 138

**Feuille de
Rhubarbe**

33 pouces
(82.5 cm)

Voir page 138

Courge Hubbard

feuille de 18 po
(45 cm)

Voir page 139

Raifort

4.5 pi (140 cm)

Voir page 139

Plant de Tabac

plus de 8 pi
(2.4 mètres)

Voir page 140

Concombre
("Straight 8")

12 à 13 po
(30 à 35 cm)

Voir page 143

Plant de Concombre

5 à 7 fleurs par joint

Cornichon
(400 et 600 g)

à gauche structuré
à droite conventionnel

Voir page 144

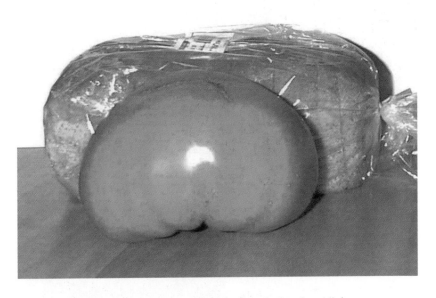

Cette tomate massive fait 2 lb 1 oz (près d'un kilo) …
placée devant un pain …

Voir page 145

Cette méga tomate fait 10 sandwichs avec ses tranches épaisses et juteuses … Bon Appétit !

Le Céleri

4 lb
(un peu moins de 2 kilos)

Voir page 146

Racine de Bardane

5.5 lb (2.5 kilos)

Voir page 146

Courge Hubbard

Pesant 33 lb (14.9 kilo)

Voir page 146

Récolte de pommes
automne 2002

Photo de droite, c'était le genre
de pommes que l'on obtenait
de 1997 à 2001

Voir page 147

Un céleri en semences

Près de 8 pieds en hauteur et
une tête en fleurs de 5 pi

Voir page 151

**La Molène
plus de 8 pi
(2.4 mètres)**

L'étoile à six pointes à l'intérieur d'une étoile à six pointes, c'est la séquence de Fibonaci ou le plan de perfection

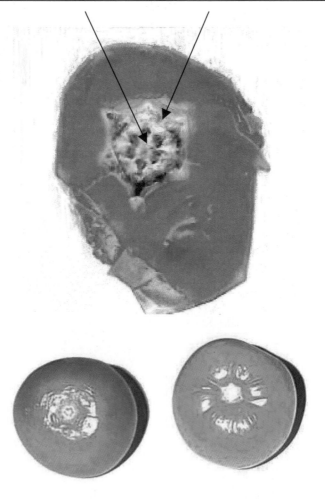

Voici le scénario tangible observable d'une plante qui devient ce qu'on lui donne.

C'est le même scénario pour le corps humain. **Voir page 149**

Bananier

Encore en magasin le groupe de bananiers parmi lesquels nous avons choisi le nôtre.	Comparez après un mois, avec de l'eau structurée par l'Hexahédron 999™ et de l'Aquakaline 777™.

Le 23 mars 2004 on s'est procuré un bananier chez un magasin local. Le 21 avril 2004, nous sommes retournés à ce même magasin et avons comparé la différence de croissance avec les autres bananiers du même groupe d'où notre bananier provenait! L'horticultrice nous a alors dit : « ça ne se peut pas, c'est un bananier nain! »

"Les plantes disent toujours la vérité"

Les effets de la
RÉGÉNÉRESCENCE CELLULAIRE

Les cheveux de M. Excelex en mars 1995 (50 ans)–
98% GRIS

Les cheveux de M. Excelex en mars 2005 –
98% BLOND (sans teinture)

M. Excelex (2005) après 60 ans sur la planète

Témoignages

Témoignages Hexahédron 999

24 février 2003 ... Lorsque nous nous sommes procurés l'unité Hexahédron 999, nous l'avons installée sur notre système hydroponique et nous avons été très impressionnés des résultats. Entre temps, mon père avait été diagnostiqué cancéreux, nous avons donc installé l'unité Hexahédron pour son eau potable afin d'assister sa condition. Sitôt après avoir enlevé l'unité du système hydroponique, j'ai noté que les plantes avaient la tête basse, alors que rien d'autre n'avait changé. Nous avons commandé 6 autres unités ... Aussitôt arrivés, nous en avons installé une autre sur le système hydroponique espérant que les plantes reviennent dans l'état où elles étaient. Dès le lendemain à notre grand étonnement, les plantes étaient relevées, bien érigées, elles avaient gagné presque 5 pouces c'est comme si elles avaient reçu un "boost" majeur. Je suis toujours très impressionné par leurs performances. Merci.

Halls 'N Herb's Hydroponics and Farms
Colombie-Britanique, CANADA

Octobre 2003 ... Je fais du jardinage depuis 25 ans avec des résultats plus que la moyenne, simplement parce que c'est une chose que j'aime faire. Cette année, j'ai arrosé mon jardin avec l'unité Hexahédron 999 et je n'ai jamais obtenu de tels résultats dans mon jardin. Considérant même l'intense sècheresse de cette année, j'ai la plus belle pelouse du quartier. Plusieurs Mercis.

Wolfrum ... Colombie-Britanique, CANADA

4 juin 2003 ... L'unité résidentielle Hexahédron 999 est installée depuis un mois maintenant et nous avons peine à croire qu'elle fonctionne si bien. J'étais sceptique parce qu'après l'avoir examinée, rien ne pouvait justifier que l'eau pourrait être différente suite à son passage dans l'unité. Il ne pouvait y avoir de changements chimiques, néanmoins ça change l'eau! Pendant des années, nous avions un adoucisseur d'eau, mais tout récemment Carrol devenait irritée par le sel de l'adoucisseur. Notre fils aîné (lorsqu'il venait nous visiter) se retrouvait avec des démangeaisons provenant de l'eau de l'adoucisseur. Lors d'une visite de notre ami, Cal, un Bio-Kinésiologiste, celui-ci vérifia Carrol en rapport avec l'eau adoucie. Définitivement cette eau ne lui convenait plus, ce qui nous guida à acheter votre système. Nous avons notre eau vérifiée régulièrement pour son alcalinité et sa dureté d'environ 200 mg/l et son pH était de 7.3. Une eau douce à moins de 75 mg/l et 300 mg/l est considérée dure. Sans l'adoucisseur, l'eau dure ne moussait pas et laissait des cernes autour du bain et des portes de la douche. C'était comme un calcaire laiteux. La douche n'était pas agréable, Carrol m'incitât à acheter le système Hexahédron 999 (l'eau vivante) que l'épouse de Cal nous avait suggéré, mentionnant que ce système a rendu leur eau dure beaucoup plus douce à Prince Georges. Maintenant, nous sommes fiers d'avoir installé ce système. Je fus le premier à admettre que ça marche. Avant l'installation du système Hexahédron, je prenais beaucoup de shampooing pour mousser mes cheveux. Maintenant, un tout petit peu suffit pour bien mousser; même pour faire la barbe, je dois réduire le gel. Je ne crois pas que l'eau est plus douce, mais elle se comporte comme une eau douce ... elle semble douce et l'on se sent bien. Merci

Jack & Carrol ... Colombie Britannique, CANADA

30 août 2003 ... Après la mise sur pied d'un jardin communautaire, nous faisions face à plusieurs obstacles. Notre sol hautement alcalin pouvait affecter notre jardin. Après avoir lu à propos de l'Hexahédron 999 et de l'Aquakaline 777 (nourriture pour plantes) ... nous tentons une expérience avec des plants de Calinda.

Nous choisissons 3 plants auxquels nous donnions 24 heures de survie (les feuilles étaient jaunies et les têtes étaient basses). L'on se sert de l'eau d'arrosage à travers l'Hexahédron 999 et attendons pour voir les résultats. En 48 heures, les plants sont revenus à la vie avec de nouvelles feuilles vertes. Nous avons alors acheté l'Hexahédron 999 et de l'Aquakaline 777 pour assister notre jardin communautaire.

Depuis lors, suite à une gelée pré-maturée la nuit, nous constations au matin que les plants de tomates étaient dévastés. J'ai pensé que tout était perdu, c'était la fin de nos tomates. Quand même, on va leur donner de l'Aquakaline 777. Miracle, le lendemain, les plants de tomates ont repris leur vitalité. Mes remerciements et appréciations pour les succès de notre jardin.

Donna Geddes
Maître Jardinnier
Co-ordonnateur en chef
Car Cross Community Gardens
Yukon Territory, CANADA

21 avril 2004

Hexahédron 999 ... Quoi qu'un peu sceptique au départ, j'ai quand même décidé d'essayer le Mini-Hexahédron 999. Lorsque je suis arrivée dans la serre, le lendemain du premier arrosage avec de l'eau structurée, j'ai été agréablement surprise de constater si rapidement des changements. Tout semblait plus vivant, plus vert. Par exemple, les *primula,* qui souvent manquent de tonus, avaient redressé leurs feuilles bien hautes, les fougères étaient plus vertes. J'ai simplement utilisé le Mini-Hexahédron 999, installé au boyau d'arrosage que j'utilise toujours maintenant.

Par la suite, j'ai observé que la floraison dure beaucoup plus longtemps, les fleurs sont plus grosses et abondantes et les couleurs sont plus éclatantes. Il y a également une meilleure rigidité des tiges et des rampes florales. Toutes les plantes de la serre ont réagi positivement. Le feuillage est d'un beau vert en santé. J'ai également constaté un pourcentage moins élevé au niveau des pertes de plantes dans la serre, depuis que j'utilise le Mini-Hexahédron 999 pour l'arrosage. Je recommande cette unité d'arrosage à tous les jardiniers et producteurs de végétaux.

Aquakaline 777 ... À la maison, j'utilise l'Aquakaline 777. Quelques gouttes de ce "super rooter" ajoutées à mon eau d'arrosage ont transformé mes plantes. Un Spathphyllum, qui refusait catégoriquement de fleurir depuis presque deux ans, a refleuri après quelques arrosages seulement et me fait encore la surprise de faire de nouvelles pousses blanches, prêtes à se dérouler. Les nouvelles feuilles d'olivier sont plus grosses, luisantes et pleines de vitalité.

Merci !

Ghislaine, Horticultrice ... Québec, CANADA

15 juillet 2004 ... Depuis l'acquisition de l'Hexahédron 999 ce qui nous impressionne le plus est notre étang à poissons. Depuis 3 ans ce fut toujours un problème de garder cette eau propre, enfin l'eau de l'étang est propre avec l'Hexahédron 999.

Notre eau a une forte concentration de minéraux et il y avait toujours des cernes dans le bol de toilette ... Depuis l'installation de l'Hexahédron 999 pour structurer et revitaliser l'eau notre toilette reste plus propre.

Arroser notre jardin avec l'eau structurée stimule la croissance et la vitalité des plantes et les dommages par les insectes sont moins évidents.

Peter Webb ... Ontario, CANADA

3 août 2004 ... Bonjour, j'ai installé les deux Hexahédrons le 4 mai 2004, le plus gros à la maison et le plus petit au poulailler. Un mois après l'installation, je me suis aperçu que la mortalité avait baissé de moitié à chaque jour.

7 semaines avant, j'ai eu 42 poules de mortes
42 ÷ 7 = 6 poules par semaine

7 semaines après, j'ai eu 21 poules de mortes
21 ÷ 7 = 3 par semaine sur un troupeau de 5300 poules

Jean Noreau ... Québec, CANADA

18 septembre 2004 ... Nous avons fait installer un nouveau système (Unité Résidentielle de l'Hexahédron 999 KDF/ BB) qui remplace le système de traitement déjà installé qui fonctionne avec de la résine et du sel. Depuis l'installation, nous avons noté plusieurs améliorations:

1. Lors de la prise de nos bains notre peau est plus douce et il ne reste pas de résidu, une sensation de bien-être.

2. Les filles ont notées un gros changement au lavage des cheveux. Les cheveux sont plus soyeux et on utilise moins de revitalisant. Nous lavons moins souvent nos cheveux.

3. Au goût, boire cette eau est très différent, elle est bonne au goût et les jus que l'ont fait ont moins de résidu sur les parois des contenants.

4. Pour la vaisselle, le rinçage est beaucoup plus facile, le savon s'enlève plus facilement.

Les avantages:

- Nous économisons plus de 40 gallons d'eau par semaine dû au lavage de la machine au sel.
- Plus besoin d'utiliser de sel pour laver les machines et moins de corrosion pour le réservoir d'eau et la tuyauterie
- Pour la location, notre nouvelle unité serait payée. Les économies sur la location du système avec sel, paye notre système Hexahédron.

Notre qualité de vie est meilleure avec de la bonne eau.

Nous nous considérons chanceux d'avoir connu quelqu'un qui avait expérimenté ces unités.

Ginnette Verrault ... Québec, CANADA

29 septembre, 2004 ... Ceci est mon appui au produit Hexahédron 999, un système d'eau que j'ai installé à ma maison en mai 2003. Nous étions intrigués à l'idée que ce système d'eau pouvait améliorer la qualité de notre eau municiple autant pour nous, que pour notre jardin et pelouse.

Installé depuis 16 mois l'Hexahédron 999 a amélioré d'une façon significative notre eau. Meilleures texture et saveur sont seulement deux des changements notés. Suite au lavage, il n'y a plus de ces petits grains au fond de la laveuse ... Aussi suite à une douche, notre peau est plus douce, moins sèche n'ayant plus cette mince couche résiduelle sur notre peau.

Au niveau du jardin, pelouse et plantes de maison les améliorations furent majeures. Entre-autres plantes de maison, nous avons des violettes africaines, des azalées, des orchidées et un assortiment de cactus. Chaque espèce s'est améliorée d'une façon dramatique au niveau de leur santé, couleur et production de fleurs. Et en plus d'une augmentation de fleurs, elles durent plus longtemps et sont plus saines.

Dans le jardin, la récolte est plus grande avec meilleur goût. Les années passées nous avions souvent un problème avec les "aphis" plus particulièrement dans les laitues, mais cette année aucun problème. Au niveau de la pelouse et des arbres fruitiers les changements furent remarquables. Nous utilisons un système d'arrosage aérien et la différence chez les arbres sont leurs feuilles plus saines et une augmentation de fruits. Moins d'insectes et d'aphis cette année. Notre pelouse a une couleur plus belle, pousse plus vite et est plus homogène. Nous utilisons moins d'agents fertilisant. La réponse à toutes ces améliorations est bien évidente, c'est notre système d'eau Hexahédron 999.

L'installation fut très simple, avec des instructions bien claires et faciles à suivre. Nous sommes entièrement satisfaits de la performance de notre système Hexahédron 999 versus son coût, et recommandons hautement ce produit à quiconque désire augmenter la qualité de sa vie.

Wolfram & Gerda Blum ... Colombie-Britannique, CANADA

25 avril 2005... Dante est né 3 semaines avant terme, le 2 novembre 2003. Il pesait 5,14 lb et mesurait 20 pouces. Ses deux premières semaines de vie ont commencé par une jaunisse sévère et double photothérapie. Le médecin m'a alors recommandé de cesser l'allaitement à cause d'une incompatibilité sanguine (facteur rhésus), nous avons donc commencé les formules. Il prenait seulement de petites quantités et il était tellement malade qu'il devenait cyanosé. Après plusieurs visites à l'urgence et beaucoup de nuits blanches, le seul moyen de le nourrir était avec une préparation au soya, à cause de son intolérance aux protéines laitières.

Durant quinze mois, son développement en général était lent, il ne prenait pas beaucoup de poids à cause de son peu d'appétit. Il avait peu d'énergie et ses nuits étaient courtes et difficiles de même que les nôtres. En février 2005, une naturopathe professionnelle nous a fait connaître l'eau structurée et les produits Essence de Vie de M. et Mme. Excelex. Utilisant un de leurs produit, soit deux gouttes d'Harmony Love dans une bouteille de 9 oz. de lait de vache et des biberons d'eau structurée (à partir du système d'eau Hexahédron 999), du jour au lendemain Dante n'a plus fait de réactions. Après deux mois seulement d'eau structurée et d'Harmony Love, il a fait une poussée de croissance impressionnante, il a beaucoup d'appétit, beaucoup d'énergie et il a un bon sommeil. À 15 mois, il n'avait que ses deux incisives, deux mois plus tard, il a huit dents et ses cheveux poussent très rapidement. J'ai remarqué le même développement rapide chez ma fille de 3 ans.

Merci pour cette nouvelle conscience.

Caroline Béland ... Québec, CANADA

2 juin 2005 ... Depuis que nous avons fait l'achat d'un Hexahédron 999 au mois de mars dernier, à la maison les choses ont bien changé. La qualité de l'eau s'est nettement améliorée. Plus limpide, plus rafraîchissante, meilleure au goût et surtout elle est beaucoup plus vivifiante. Pendant 20 ans je ne buvais que de l'eau distillée. J'ai complètement abandonné cette habitude et je me sens plus énergique avec l'eau structurée.

Étant donné les résultats, nous avons doté la porcherie de ce système. Dès l'installation nous avons remarqué une amélioration. Les animaux apprécient la différence, nous constatons une bien meilleure assimilation alimentaire. Quant à la réserve d'eau, aucune difficulté à garder l'eau claire et le réservoir demeure toujours propre. La stabilité de la qualité de l'eau est remarquable.

Poussant plus loin l'expérience, à la fonte des glaces nous avons installé un Hexahédron 999 à l'étang d'une dimension de 80 x 220 pieds environ. Avec les années l'eau était devenue brunâtre et il y poussait des algues. Seulement une semaine plus tard l'eau était beaucoup plus claire. Maintenant nous pouvons percevoir le fond de l'étang et nous songeons bientôt à l'ensemencer à nouveau. L'été, nous nous servons de ce plan d'eau pour arroser les arbres, le jardin et le potager. Nous sommes conscients que cette installation contribue à améliorer notre qualité de vie et celle de la nature.

Merci à M. et Mme Excelex pour leur information et leur précieuse collaboration.

Yves et Danielle Martin ... Québec, CANADA

Méthode Propriétaire conçue et revendiquée par M. et Mme. E. Excelex

Unités pour Restructurer et Revitaliser L'Eau

Pour une Eau Cristalline
Structurée et Vitalisée

L'Hexahédron 999 induit un champ d'énergie unifié dans les molécules d'eau portant ainsi l'étoile à six pointes qui est la Forme qui Donne La Vie.

✦ Adoucit l'eau, sans adoucisseur à sel
✦ Produit une eau vivante – structurée et vitalisée
✦ Pour une meilleure hydratation des cellules
✦ Facilite l'absorption des éléments nutritifs
✦ Produit naturellement une eau douce et veloutée
✦ Énergise les structures cellulaires
✦ Augmente les ions négatifs

Boire de cette eau hautement structurée passant par l'Hexahédron 999 ... la vitalité générale et sa force vitale (Bio-Photons) sont transportées à l'intérieur de la structure cellulaire du corps pour en augmenter son taux vibratoire.

Nos essais sur les germinations de graines, les semences et les plantes ont démontré que les structures cellulaires absorbent plus et mieux les éléments nutritifs ayant pour résultat des plantes plus grosses – plus saines – plus productives : des plantes structurées.

**Zéro Pièce Mobile ~ Zéro Entretien ~ Zéro Bruit
Zéro Énergies Extérieures ~ Zéro Aimants Artificiels
Installation Facile et Simple**

www.wateralive.excelexgold.com

Hexahédron 999™
Unités Résidentielle
Modèle No 0HX999-WH

• ◦ ◦ ⦿ ● ◦ ◦ •

Un Seul Gros Filtre
Avec un filtre sédiments
ou charbon activé

Modèle le Citadin
Avec petits filtres à
sédiments et KDF®55
pour petite résidence

Modèle Toute Maison
Avec gros filtres à
sédiments et KDF® 55
pour grand débit

Installée sur l'entrée d'eau principale ... l'unité procure une eau Cristalline, Structurée et Revitalisée pour toute la maison, le jardin et la serre. S'adapte sur toutes les tuyauteries ... Au choix avec ou sans système de filtration pour le chlore et/ou sédiments. **Disponibles aussi Filtrage en DUO** pour sédiments, puis KDF pour chlore, métaux lourds, pesticides, algues, trihalométhane, etc.

Fabrication: acier inoxydable 316/316L **... Pression Max:** sous-essais 120 lb/po2 **Capacité:** ½" 900 litres/h ou ¾" 4000 litres/h à 60 lb/po2

Méthode Propriétaire conçue et revendiquée par M. et Mme. E. Excelex

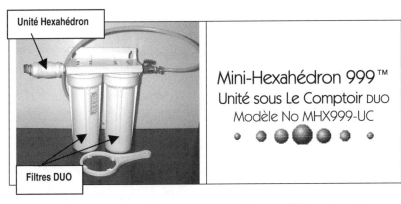

Unité Hexahédron

Filtres DUO

Mini-Hexahédron 999™
Unité sous Le Comptoir DUO
Modèle No MHX999-UC

● ● ●● ● ●

Une sortie simple pour l'eau froide ... installée sous l'évier de cuisine ... procure une eau Cristalline, Structurée et Vitalisée pour tous vos besoins culinaires et tous vos breuvages. Plus nécessaire de transporter des eaux dé-structurées et acides. Facile d'installation, vient avec un système de filtres DUO. Idéal pour les locataires.

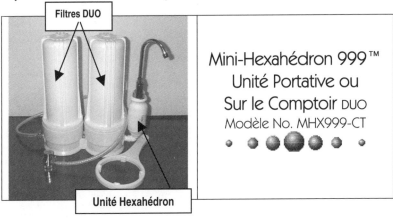

Filtres DUO

Unité Hexahédron

Mini-Hexahédron 999™
Unité Portative ou
Sur le Comptoir DUO
Modèle No. MHX999-CT

● ● ●● ● ●

Cette unité se place sur le comptoir ... vient avec un adapteur de dérivation qui s'installe à la plupart des robinets. Facile à apporter avec soi au chalet, en voyage, lors d'un buffet, au bureau. **Vient avec le Système de Filtres DUO.** Faites vos présentations lors de vos soirées de promotion, offrant une eau Structurée et Revitalisée, un velours pour le palais ... Faites-en bénéficier votre famille et tous vos amis l'année durant.

Filtres DUO – comprend sédiments 5 microns et KDF 55®

Méthode Propriétaire conçue et revendiquée par M. et Mme. E. Excelex

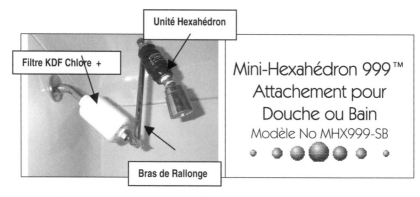

Unité Hexahédron

Filtre KDF Chlore +

Bras de Rallonge

Mini-Hexahédron 999™
Attachement pour
Douche ou Bain
Modèle No MHX999-SB

Installé à la place de la pomme de douche ou à la sortie du bain. Apporte une eau fraîchement énergisante et revitalisante chaque jour. Rend les shampooings et savons plus mousseux ... adoucit et hydrate la peau. Vient avec un petit filtre KDF Chlore et un bras de rallonge (pomme de douche non comprise). Le petit filtre KDF bon pour 10,000 gallons environ 40,000 litres.

Système de Filtres DUO

Le système de filtres DUO pour les unités sur et sous le comptoir comprend un filtre de 5 microns pour les sédiments dans le **premier boîtier** ... ce qui protège le deuxième filtre, le KDF, pour un service prolongé.

Le filtre KDF®55 avec son charbon activé pour le chlore dans le **deuxième boîtier** (placé en aval du système Hexahédron 999™). Le KDF, avec ses propriétés d'oxydo-réduction grâce à l'échange inoffensif zinc/cuivre, filtre les toxines et les métaux lourds par un échange d'électrons. Cette combinaison, KDF – Charbon Activé est très efficace pour l'élimination des contaminants organiques et le chlore, procure aussi un contrôle sur les bactéries, algues et les fongiques.

NOTE: Le KDF fonctionne par oxydo-réduction, permet de maintenir 90% de la force vitale déjà présente dans la plupart des eaux municipales, filtrant mieux que l'osmose inversée (voir **pages 106 et 107**). Une fois filtrée, l'eau passe dans l'unité Hexahédron 999™ pour être Restructurée et Revitalisée.

Les filtres KDF sont approuvés NSF

Toutes les unités Hexahédron 999™ sont construites à partir d'acier inoxydable 316/316L L'unité Résidentielle porte une garantie de 10 ans. Tous les modèles Mini-Hexahédron 999™ portent une garantie de 3 ans dans la mesure que la gaine robuste extérieure centrale demeure intacte. Les filtres (cylindres) portent une garantie du fabricant de 12 mois. **Les cartouches doivent être remplacées à intervalle régulier,** soit entre 3 et 12 mois selon, la nature de la cartouche, la qualité et le volume de l'eau utilisée.

Mini et Méga Hexahédron 999™

Systèmes d'eau structurée et vitalisée pour le
jardin, les industries et l'arrosage de grandes surfaces agraires

Méthode Propriétaire conçue et revendiquée par M. et Mme. E. Excelex

Mini-Hexahédron 999 ™
Unité pour Boyau
d'Arrosage
Modèle No MHX999-HZ

S'installe au boyau ou système d'arrosage ... procure une eau Cristalline, Structurée et Revitalisée ... Augmente la croissance des plantes et leur vitalité en augmentant le taux vibratoire cellulaire, permettant une meilleure assimilation des éléments nutritifs.

Mini-Hexahédron 999 ™
Unité pour Hydroponique
Modèle No MHX999-HP

S'installe à la sortie de la pompe ... la flèche sur l'étiquette indique la sortie qui se raccorde au tuyau de distribution... pression maximale 100 lb/po2. Fabrication acier inoxydable 316/316L.

Indispensable pour tous les jardiniers

Mega-Hexahédron 999™

Unités à Grands Débits
Commercial, Industriel et Agricole

Méga 4–Hexahédron 999™
Capacité 1 ½"- 30,800 litres/h ou 2"- 61,000 litres/h @60 psi (6.9 Bar)
(Approx) Diamètre 6 pouces ... Longueur 13 pouces ... Poids 8 kilos
(18 lb) ... **Raccord de 2 pouces (5 cm)**

Méga 6–Hexahédron 999™
Capacité 374,000 litres/h ou 85,000 gal/imp/h @60 psi (6.9 Bar)
(Approx) Diamètre 8 pouces ... Longueur 30 pouces... Poids 25 kilos
(55 lb) ... **Raccord de 4 pouces (10 cm)**

Utilisé pour les Grands Hôtels / Motels, Serres, Industries Alimentaires, Édifices Commerciaux, Communautés et Systèmes d'Arrosage pour grandes surfaces agraires.

En moins de 30 jours, nous pouvons concevoir des unités spécifiques, selon vos besoins

Méthode Propriétaire conçue et revendiquée par M. et Mme. E. Excelex

L'Hex-A-Doucisseur ™
Adoucisseur d'eau naturel sans sel

Calibré en usine pour fonctionner avec un Hexahédron 999. Encore plus puissant pour adoucir naturellement les eaux dures, une merveille!

Ses Avantages:

- Unité compacte - espace requis 30 pouces.
- Pas besoin d'électricité
- Fini les bacs à sel, économisant des certaines de dollars annuellement. Fini les achats de sel
- Facile à installer – déjà calibré, aucun "backwash" requis.
- Économisant ainsi de 1000 à 1500 gallons d'eau par année
- Protège l'environnement
- Permet des économies sur les savons et shampooings
- Procure une eau hautement structurée, douce et revitalisée pour l'humain, les animaux et les plantes.
- Requiert un minimum d'entretien 20 minutes une ou deux fois par mois selon la condition et le volume d'eau utilisée
- Augmente l'énergie vitale de l'eau
- Protège le corps des excès de magnésium qui déstructure les cellules
- Unité construite pour la vie garantie pour 5 ans. Sauf le boîtier et la garniture pour 12 mois
- Cette unité peut se jumeler à un filtre à sédiment ou à un filtre pour le chlore ou à un filtre KDF® 55

Méthode Propriétaire conçue et revendiquée par M. et Mme. E. Excelex

DIA-Aquakaline 777™

Activateur de VIE–BIO

Rends l'Eau et les Éléments Nutritifs
Plus BIO-Assimilables
Pour les Plantes et les Animaux
Augmente les Racines et la
Croissance des Plantes

Tout Au Naturel – Naturellement

Pour des plantes et des produits Agro-Alimentaires plus forts – plus sains et d'abondantes récoltes, "Une Eau Vivante, c'est la Première Clef"

L'Aquakaline 777™ donne :

✱ 80 minéraux et tous les oligo-éléments de la terre et de la mer
✱ Fournit plus de Force Vitale (Prana)
✱ Assiste la structuration des cellules pour le développement du plein potentiel des plantes et des animaux
✱ Apporte une meilleure hydratation et absorption des éléments nutritifs
✱ Possibilité de réduire jusqu'à 30% l'apport des autres éléments nutritifs
✱ Accroît la production, la grosseur des produits avec des saveurs exquises
✱ Accélère le temps de germination et augmente les racines, ce qui réduit la période requise pour leur maturité
✱ Économie de temps et réduction des pertes lors de la production de germination
✱ Augmente le potentiel de germination, donc économie de semences
✱ Accélère le drageonnage ex: voir un drageon de tomate plein de racines en 5 jours
✱ Polonge la vie des fleurs coupées et des plantes d'intérieur
✱ Augmente les ions négatifs

Ingrédients: Eau Super Structurée, algue marine, minéraux de source naturelle de Bouleau et Cèdre, Particules Adamantines.

Minéraux Principaux et Oligo-éléments			
Sodium ±.5	35.3%	Silice	0.0926%
Chlore ±.5	44.7%	Fer	0.0794%
Calcium	2.890%	Manganèse	0.0675%
Potassium	0.847%	Zinc	0.0190%
Magnésium	0.591%	Cuivre	0.00209%
Soufre	0.309%	Chrome	0.000598%
Phosphore	0.172%	Autre	0.1%

"Sel Joyeux" ~Alcalin au Naturel

* Rend alcalins eau et aliments
* Reminéralise l'eau
* Apporte le principe actif des 80 minéraux et éléments traces de la terre et de la mer
* ¼ lb minéralise plus de 1200 litres d'eau déminéralisée
* Augmente les ions négatifs – un puissant anti-oxydant
* Assiste à la structuration de l'eau

Maximum par jour ... **Adulte** 1/4 à 1/3 c. à thé (1 – 1.5 g)... **12 ans et plus** 1/8 c. à thé (.5 g) ... **Moins de 12 ans:** sous surveillance médicale
Ajouter à la nourriture ... Saupoudrer sur vos aliments ... compléter avec sel marin non raffiné
Ajouter à l'eau ... aux eaux déminéralisées ... 1 pincée seulement par tasse (250 ml) ... 1 gramme (1/8 c. à thé) **par 20 Litres** ... pour les eaux distillées, d'osmose inversée, traitées U.V., déionisées, en général eau commerciale.
Eau avec minéraux ... 2 pincées seulement par tasse (250 ml) ... 2 grammes (1/4 c. à thé) **par 20 Litres** ... telles – de ville et autres, de source naturelle.
À l'eau du bain ... Adulte 1 c. à table (2-3 bains/semaine) ... **12 ans et plus** 1 c. à thé (1 bain/ semaine) ... **Moins de 12 ans** ½ c. à thé (1 bain/ semaine)
Laver les produits ... ¼ c. à thé par litre d'eau ...trempez fruits et légumes 5 – 10 minutes
Précaution: Eau potable et breuvage, ne pas excéder un pH de 8.5. Lorsque votre pH de la salive matinale est plus que 7.2 , ne pas utiliser ce Sel ou si le corps est en alcalose ... Antidote – cidre de pommes, citron, liqueur douce, eau déminéralisée.

Pour de plus amples informations à propos de l'eau structurée et des Hexahédron 999, communiquez avec:

M. et Mme. Excelex
P.O. Box 401
St-Ambroise-de-Kildare, Québec
CANADA J0K 1C0

Tél: 450-759-0715
Fax: 450-883-6220
Courriel: excelexgold@yahoo.com

Ou visitez notre site pour une mise à jour de notre adresse :

www.wateralive.excelexgold.com